Susan Mallery

Fantasía hecha realidad

Editado por HARLEQUIN IBÉRICA, S.A.
Núñez de Balboa, 56
28001 Madrid

© 1999 Susan W. Macias
© 2014 Harlequin Ibérica, S.A.
Fantasía hecha realidad, n.º 2031 - 3.12.14
Título original: Dream Groom
Publicada originalmente por Harlequin Enterprises, Ltd.

I.S.B.N.: 978-84-687-4768-2
Depósito legal: M-26186-2014
Editor responsable: Luis Pugni
Impresión en CPI (Barcelona)
Fecha impresión Argentina: 1.6.15
Distribuidor exclusivo para España: LOGISTA
Distribuidor para México: CODIPLYRSA
Distribuidores para Argentina: interior, BERTRAN, S.A.C. Vélez
Sársfield 1950 Cap. Fed./ Buenos Aires y Gran Buenos Aires,
VACCARO SÁNCHEZ y Cía, S.A.

Capítulo 1

LOS grandes y azules ojos de Sasha se oscurecieron.

—Hambre —dijo la niña, de solo veintiséis meses—. *Tene* hambre.

Ryan Lawford miró a su sobrina y, después, al objeto de su preocupación. Desgraciadamente, la criatura que supuestamente estaba hambrienta no era ni un ser humano ni una mascota, sino un fax que empezó a pitar cuando Sasha metió su sándwich de mantequilla de cacahuete en el cargador de papel, atascándolo.

Ryan se maldijo para sus adentros e intentó salvar el informe de diez páginas que debía enviar a Japón antes de diez minutos.

—*Yo hambre también* —anunció Sasha—. Quiero espagueti.

—Sí, claro —replicó Ryan, apretando los dientes.

Espagueti. ¿Por qué no? Los podía preparar y añadir una ensalada y un pan de ajo, con vino tinto para él y leche para su sobrina.

Pero había tres obstáculos en su camino. El primero, que a menos que la comida estuviera envuelta en un paquete para meter en el microondas, él era completamente inútil en la cocina; el segundo, que no tenía más comida que el tarro de mantequilla de cacahuete que había usado para preparar el sándwich y, el tercero, que no sabía nada de niños. Helen y John habían cometido un error muy grave al nombrarlo tutor de su pequeña.

—Vuelvo enseguida. Quédate aquí.

Ryan esperaba que Sasha le hiciera caso, pero no tuvo tanta suerte. Él había llegado la semana anterior, para ayudar en los preparativos del entierro de su hermano y de su cuñada; y, desde entonces, la niña lo seguía a todas partes.

—¿Tío? *Quiero mamá...*

El teléfono del despacho empezó a sonar. Ryan corrió hacia la parte trasera de la casa, con Sasha pegada a sus talones.

—¿Tío? *¡Quiero mamá...!* —repitió la niña, que apretaba el bote de mantequilla de cacahuete contra el pecho.

La voz de la pequeña sonó quebrada. Ryan no necesitaba mirarla para saber que había empezado a llorar. El fax seguía pitando a sus espaldas y el teléfono, sonando en el despacho. Cuando llegó al segundo, descolgó el auricular y se dijo que podía escanear el informe y enviarlo por correo electrónico.

—¿Dígame?

La mantequilla de cacahuete cayó al suelo. Por

suerte, el bote no se rompió; pero Sasha empezó a llorar con más fuerza.

—¡Mamá!

Ryan se giró hacia su sobrina. La llamada era de uno de los empleados de su empresa, quien quería hablar con él de algo importante. Pero, con la niña llorando, no se podía concentrar; así que dijo:

—Espera un momento, por favor.

Justo entonces, antes de que él pudiera alcanzar a la niña, sonó el timbre de la puerta.

Ryan se preguntó qué más podía pasar, aunque desestimó la pregunta de inmediato. Era consciente de que la vida podía ser extremadamente complicada, así que volvió a alcanzar el auricular del teléfono y dijo:

—Te llamo dentro de unos minutos. Están llamando a la puerta.

—Mamá, mamá... —dijo la niña entre sollozos.

Ryan se estremeció. ¿Cómo decir a una niña de poco más de dos años que sus padres habían muerto y que no iban a volver? Como tantas otras veces a lo largo de la última semana, maldijo a su hermano por haberlo nombrado custodio de su única hija.

Rápidamente, cruzó el vestíbulo y abrió.

—¿Sí? —dijo con brusquedad.

La joven que estaba en el porche le ofreció una sonrisa. Era de cabello oscuro, ojos grandes y rasgos bonitos.

—Hola, señor Lawford. Soy Cassie Wright. Nos conocimos después del entierro, aunque es posible que no se acuerde de mí.

La joven llevaba dos bolsas llenas de comida y le dio una.

—Ya ha pasado casi una semana, y he supuesto

que estaría bastante frustrado con la situación —continuó ella—. Sasha es una niña encantadora, pero me consta que puede dar mucha guerra. Además, sé que no tiene hijos ni experiencia con ellos. Me lo dijo la esposa de su hermano, así que... bueno, aquí estoy.

Mientras hablaba, Cassie Wright había entrado en la casa y se había dirigido a la cocina, donde se quedó mirando el pequeño desastre. La pila y las encimeras estaban cubiertas de platos sucios y bandejas vacías de comida para microondas, sin contar las múltiples manchas del suelo, señales claras de los primeros fracasos de Ryan con la pequeña. Por suerte, ya se había dado cuenta de que Sasha no podía comer en la mesa. Necesitaba su sillita.

—He traído comida, pero tal vez debería haber traído un equipo de limpieza —ironizó Cassie.

Ryan suspiró.

—Han sido unos días difíciles.

—Sí, ya lo imagino.

Cassie volvió a sonreír y dejó su bolsa de comida en una silla que, aparentemente, era el único espacio libre de objetos.

—¿Quién es usted? ¿Y qué está haciendo aquí?

Antes de que ella pudiera contestar, se oyó un grito procedente del pasillo y, a continuación, el sonido de las pisadas de una niña.

—¡Cassie!

Sasha entró en la cocina tan deprisa como su tamaño se lo permitía y se abrazó a las piernas de la recién llegada.

—Hola, preciosa. Te he echado mucho de menos... ¿Qué tal estás? ¿Qué estabas haciendo?

Cassie se puso de cuclillas, tomó a la pequeña entre sus brazos y se incorporó. Sasha la miró a los ojos y sonrió de oreja a oreja.

—¡Ayudo al tío!

Cassie miró a Ryan con humor.

—Su sobrina es una niña de gran corazón, pero sé que su forma de ayudar puede ser desastrosa. Por si sirve de algo, me solidarizo con usted.

—Mi fax anda más necesitado que yo de solidaridad.

—¿Su fax?

—Ha intentado cargarlo con un sándwich de mantequilla de cacahuete.

Cassie miró a la niña con asombro.

—¿Has hecho eso, Sasha? ¿Le has dado un sándwich a un fax?

Sasha asintió con firmeza, sacudiendo sus rizos oscuros.

—Tenía hambre. Yo ayudo.

Ryan miró a la joven que estaba ante él. Era evidente que se encontraba cómoda con Sasha, y que la niña la apreciaba.

—¿Quién es usted? —repitió.

Cassie dejó a la niña en el suelo, avanzó hacia él y le ofreció una mano.

—Lo siento. Debería haber sido más clara. Soy Cassie Wright, la profesora de la clase de preescolar donde está su sobrina desde hace seis meses —respondió—. Lamento mucho su reciente pérdida... He pensado que le costaría acostumbrarse a una niña de dos años y he venido a ayudar.

Él se sintió inmediatamente aliviado. Aceptó su mano, que estrechó, y le devolvió la sonrisa.

—Se lo agradezco mucho... Tiene razón, no sé

nada de niños. Intento trabajar mientras cuido de ella, pero me sigue a todas partes —explicó con desesperación—. Así no tengo forma de cumplir con mis obligaciones.

Ryan soltó su mano y miró el reloj.

—Debo enviar un documento a Japón. Se me está haciendo tarde y aún lo tengo que escanear y enviarlo por correo electrónico. ¿Le importa cuidar de ella? Solo serán unos minutos. No tardaré en volver.

Ryan desapareció antes de que Cassie pudiera responder a su pregunta.

Por lo visto, la suerte estaba de su lado. Mientras escaneaba el informe, se dijo que aquella joven le podía ser de gran ayuda. Aún no sabía qué hacer con su sobrina. Quería volver a San José cuanto antes; pero, en esas circunstancias, era imposible. Por si su empresa no lo mantuviera suficientemente ocupado, ahora tenía que cuidar de la hija de John y Helen.

Pero ese no era su único problema. También tenía que tomar una decisión sobre la mansión victoriana que su hermano y su cuñada habían comprado antes de morir; y afrontar un sinfín de complicaciones para las que no tenía ni tiempo ni energías.

Desgraciadamente, estaba solo. O, al menos, lo había estado hasta la aparición de Cassie Wright. Quizás se pudiera hacer cargo de Sasha, o recomendarle a alguien para que se encargara de ella. Visto lo visto, necesitaba una niñera. Una especie de Mary Poppins.

Veinte minutos después, regresó a la cocina. No le agradaba la idea de volver a enfrentarse a Sasha, pero no quería abusar de su salvadora.

Al contemplar la escena, se sintió completamente fuera de lugar. Sasha estaba sentada en su sillita, comiendo con toda tranquilidad. Cassie se había puesto a lavar los platos como si estuviera en su casa. La única nota discordante era él, que no sabía nada de casas, de niños, ni desde luego de familias.

—¿Ya ha enviado esos documentos?

—Sí, gracias por cuidar de mi sobrina.

Sasha miró a su tío con una gran sonrisa y se llevó su vasito de leche a los labios, sin derramar más que unas cuantas gotas.

—¡Bajar! —exigió la pequeña.

—Está bien, pero tendré que adecentarte antes... —dijo Cassie.

Cassie alcanzó una servilleta de papel y le limpió la cara y las manos antes de bajarla de la sillita. En cuanto estuvo libre, la niña se aferró a la piernas de su tío y dijo:

—Espagueti.

—¿Quieres que prepare espaguetis para cenar?

—¡Sí!

Él miró a Cassie.

—Esta niña es increíble... —declaró.

Cassie sonrió.

—Bueno, no se preocupe por eso. La doy de comer casi todos los días, así que sé lo que le gusta. Solo es cuestión de elegir lo correcto cuando vaya al supermercado.

Ryan se fijó en que Cassie había limpiado la mesa, así que se sentó en una silla y la invitó a acomodarse junto a él. Tras aceptar el ofrecimiento, ella alcanzó a la pequeña y se la puso en el regazo.

—Esto es difícil para mí —dijo Ryan con pesadumbre.

—Lo supongo —declaró Cassie—. Todo ha sido

tan repentino... La policía vino al colegio y nos dijo lo que había pasado. Yo me llevé a Sasha y estuve con ella un par de noches, hasta que usted llegó.

Él asintió. Cuando le informaron de que su hermano y su cuñada habían muerto, intentó adelantar tanto trabajo como pudo y se dirigió a Bradley. Sasha no estaba en la casa, y casi no pensó en ella hasta que la tuvo entre sus brazos.

—¿Quién era la mujer que me la devolvió?

—Mi tía Charity. Aquel día, yo estaba trabajando —contestó Cassie—. Es obvio que usted no visitaba a su familia con mucha frecuencia...

Por el tono de voz de Cassie, Ryan no supo si era un comentario inocente o una recriminación directa.

—Dirijo una empresa grande en San José. Tengo muchas responsabilidades.

Ella se inclinó y dio un beso a Sasha, en la frente.

—Pues ahora tiene una niña a su cargo. Y puede que parezca una responsabilidad pequeña, pero le aseguro que se va a convertir en la mayor.

—Yo no estoy hecho para ser padre... No sé en que estaba pensando John cuando me nombró su tutor.

—Supongo que pensó que era su hermano y, en consecuencia, de la familia —le recordó Cassie—. ¿A quién, si no, iba a dejar a su hija?

—A alguien que sepa de niños. A alguien que esté en condiciones de cuidar de una niña —respondió Ryan.

—Será difícil al principio, pero se acostumbrará. Los niños parecen muy frágiles, pero en realidad son muy duros. Solo necesitan atención y amor... —Cassie sonrió de repente—. Bueno, y que los alimenten, claro.

—Sasha necesita una niñera —afirmó él—. ¿Sabe si su tía se podría hacer cargo de ella? Tengo que solucionar los asuntos pendientes de John y Helen, así que me quedaré un par de meses en Bradley.

—Me temo que mi tía no es la persona más adecuada para ejercer de niñera —replicó con humor—. Pero, si solo van a ser dos meses, puede contar conmigo.

—¿Con usted? —preguntó, extrañado—. Me acaba de decir que es profesora... Seguro que ya tiene bastante trabajo.

—Sí, es verdad, pero el curso acaba de empezar y mi jefa no tendrá problemas para encontrar a una sustituta.

—¿Va a dejar su empleo para cuidar de Sasha? —dijo, incapaz de creerlo.

Ella sonrió de nuevo.

—La universidad dispone de un departamento específico de enseñanza infantil, y todos los alumnos tienen que hacer prácticas con niños. El colegio siempre recibe más solicitudes de las que puede aceptar... —le explicó—. Puede estar seguro de que no será ningún problema.

—En ese caso, ¿cuándo puede empezar?

Ella arqueó una ceja.

—Querrá comprobar mis referencias antes de darme el empleo... No llevo un currículum encima, pero le puedo dar algunos nombres y números de teléfono.

—Sí, claro... —dijo Ryan, sintiéndose algo culpable por no haberlo pensado—. Pero, si todo está bien, ¿podría empezar mañana por la mañana?

Ella lo pensó un momento.

—Tengo que hablar con mi jefa, pero supongo que

sí. ¿Quiere que venga todos los días a cuidar de Sasha? ¿O prefiere que me quede en la casa?

—Prefiero que se quede en la casa —respondió con sinceridad—. Es enorme y tiene habitaciones de sobra. Puede elegir la que prefiera.

La niña, que se había puesto a jugar con una cucharilla, la tiró al suelo. Cuando Cassie se inclinó a recogerla, Ryan notó que llevaba un anillo en la mano izquierda y llegó a la conclusión de que estaba casada.

—Aunque, por otra parte, no sé qué pensará su esposo si se queda aquí —siguió hablando—. Deberíamos optar por la primera solución.

Ella frunció el ceño.

—Yo no estoy casada.

—Pero si lleva anillo...

Cassie se miró la mano.

—Ah, eso... no es una alianza, es un anillo de compromiso. O más bien, una especie de promesa de una promesa. Joel y yo salimos juntos desde hace años.

Ryan se inclinó hacia delante y observó el anillo con atención.

—Está arañado...

—No es un arañazo, es un diamante.

—¿Un diamante?

Ella suspiró.

—Bueno, una esquirla de diamante.

Ryan la tomó de la mano para verlo mejor. Por lo visto, el novio de Cassie Wright no era de los que gastaban demasiado.

—Es muy bonito.

—Gracias.

Él le soltó la mano.

—Si me da el número de su jefa actual, lo llamaré

por teléfono y pediré referencias. Después, la llamaré a usted.

Cassie tuvo que resistirse al impulso de frotarse las manos en los muslos. Su contacto había sido breve, pero le había dejado un cosquilleo de lo más agradable. Por suerte para ella, Ryan Lawford no podía saber que el corazón se le había acelerado y que sus piernas temblaban de repente.

Nunca había estado con un hombre como él; aunque, a decir verdad, no estaba precisamente rodeada de hombres. Quitando los padres de los niños del colegio y el conductor del autobús escolar, al que recientemente habían sustituido por una mujer, su relación con los hombres se limitaba a Joel y al marido de su hermana.

Ryan se puso a hablar sobre las condiciones de su oferta de trabajo, y mencionó una suma muy superior a la que recibía en el colegio. Cuando ella preguntó por qué era tan generoso, él contestó que le parecía lo más racional, teniendo en cuenta que sería un empleo irregular y que, en consecuencia, no cotizaría por él ni recibiría los beneficios sociales asociados.

Ella asintió en silencio porque se había puesto tan nerviosa que ya no podía ni hablar. Ryan le parecía un hombre increíblemente refinado. Helen le había hablado muchas veces de él, así que lo conocía bastante. Le sacaba ocho o nueve años y, al perder a John, se había quedado solo en el mundo. Por lo demás, sabía que era un hombre muy decidido, que estaba muy ocupado y que tenía mucho éxito en los negocios.

—Bueno, creo que eso es todo —sentenció él—. Si me puede apuntar esos números...

Ella le apuntó los números de teléfono. Se alegró

de haberse puesto uno de sus mejores vestidos, aunque sospechaba que ni siquiera se habría fijado. En general, no se sentía incómoda con la gente; pero Ryan era distinto. Sus rasgos eran tan perfectos que se las veía y se las deseaba para no quedarse mirando su fuerte mandíbula y sus oscuros ojos verdes.

Cuando terminó de apuntar los números, le dio el papel. Se sentía como si fuera una adolescente y estuviera con su primer amor, pero no tenía nada de particular; como su relación con Joel era casi puramente amistosa, Ryan Lawford era lo más parecido a un primer amor.

—La llamaré esta noche —dijo él.

Ella estuvo a punto de suspirar, pero se refrenó. Mientras hablaban, la niña se había ido al salón y se había puesto a ver un vídeo.

—Será mejor que me vaya sin decirle nada... Si me despido de ella, se pondrá triste.

—Sí, será lo mejor. No sé qué hacer cuando se pone a llorar.

—No se preocupe. Normalmente, los berrinches se le pasan pronto.

Ryan, que no parecía muy convencido de su afirmación, la acompañó a la puerta. Cassie consideró la posibilidad de estrecharle la mano por segunda vez, pero la rechazó y se limitó a decir, antes de irse:

—Hablaremos esta noche.

Quince minutos después, Cassie se encontraba en el interior de su domicilio, una mansión victoriana tan grande como la de Ryan Lawford; pero, a diferencia de este, ella no era precisamente una recién llegada a la localidad californiana de Bradley. La casa llevaba más de un siglo en manos de su familia.

Se dirigió a su habitación y se alegró de toparse con su tía. Adoraba a Charity, pero necesitaba estar sola.

Cuando llegó, se sentó junto a la ventana y se dedicó a contemplar el jardín, aunque sin prestarle ninguna atención. Estaba pensando en el alto y atractivo Ryan, que le arrancó un suspiro. Habría dado cualquier cosa por conseguir que un hombre como él se fijara en una mujer como ella, pero no se engañaba a sí misma.

Era demasiado joven, demasiado corriente y poco interesante. Además, los hombres como él se enamoraban de modelos o de mujeres tan bellas y encantadoras como su hermana Chloe. Y, por otra parte, ni siquiera se podía decir que ella estuviera libre. Salía con Joel, y se suponía que estaban comprometidos.

Sacudió la cabeza y se dijo que sería mejor que preparara el equipaje. Sabía que Ryan la contrataría en cuanto tuviera sus referencias. De hecho, era un trámite innecesario. Mary, su jefa, la dejaría libre de inmediato. Habían hablado muchas veces de la situación de Ryan y era consciente de que un hombre solo y sin experiencia con niños tendría dificultades para hacerse cargo de Sasha.

Sin pensárselo dos veces, alcanzó el teléfono y marcó el número de su jefa, quien le informó de que ya había hablado con Ryan.

—Te he puesto por las nubes —dijo Mary—. He hablado tan bien de ti que estaría loco si no te diera el empleo.

—Gracias...

Hablaron durante unos minutos. Después, ella abrió el armario y sacó la maleta, aunque solo tenía intención de llevarse unas cuantas cosas. Cuando alcanzó el neceser que había dejado en uno de los estantes, se le cayó una caja al suelo. No necesitaba abrirla para saber lo que contenía. Era el camisón mágico de la familia; una antigua prenda de manga larga, con puntillas en los puños y en el cuello.

Abrió la caja y pasó una mano por la tela. Solo faltaban seis semanas. Seis más y sabría si la leyenda también se cumplía en su caso. A fin de cuentas, no era una Bradley de verdad. A ella la habían adoptado.

—Pronto lo sabré... —se dijo en voz alta.

Según la leyenda, una antepasada de su familia había salvado la vida de una gitana que, en agradecimiento, le había dado un camisón con poderes mágicos de lo más particulares: las Bradley que durmieran con él durante la noche de su vigésimo quinto cumpleaños, soñarían con el hombre de su vida y, si lo aceptaban, serían felices para siempre.

Nueve meses antes, Chloe se lo había puesto y había soñado con un hombre al que, por pura casualidad, conoció al día siguiente de su cumpleaños. Ahora eran felices, y Cassie ardía en deseos de que el camisón tuviera el mismo efecto en ella.

Se tocó el anillo y se dijo que a Joel no le importaría. Habían hablado del camisón varias veces y ella le había explicado que no se quería comprometer en serio hasta después de cumplir los veinticinco. Además, Joel le había dicho que no tenía prisa, y que estaba seguro de que soñaría con él.

Cassie le estaba muy agradecida. Sabía que la mayoría de los hombres no habrían sido tan pacientes y comprensivos; pero, a veces, le molestaba que fuera tan paciente y comprensivo. Quería pasión. Quería sentirse completamente abrumada por las emociones. Quería intensidad, magia.

—Seis semanas. Nada más.

Guardó la caja en el armario y se volvió a repetir que seis semanas era poco tiempo. Además, estaba a punto de marcharse a vivir con un hombre increíblemente atractivo que la excitaba sin más esfuerzo que el de estar en la misma habitación.

Por supuesto, había un pequeño problema. Ryan ni siquiera se había fijado en ella. Pero Cassie creía en sí misma, y se dijo que solo era cuestión de tiempo.

Capítulo 2

CASSIE entró en el vado de la mansión de Ryan a las ocho y veinticinco de la mañana. Habían quedado a las ocho y media, pero no quería llegar tarde en su primer día.

Tras aparcar el coche en el lado izquierdo del garaje, bajó del vehículo, abrió el maletero y sacó su equipaje y un par de juguetes que había tomado prestados en el colegio. Luego, contempló la imponente fachada de la mansión y se dijo en voz alta:

—Puedes hacerlo. Puedes salir bien de esta y no hacer el ridículo.

Cassie sonrió para sus adentros. No tenía la menor duda de que haría bien el trabajo, pero la relación que estableciera con Ryan era una cuestión aparte. Sin embargo, ya no se podía echar atrás. Había aceptado el empleo y tendría que vivir con él durante dos meses.

Acababa de llegar a la entrada y ya se disponía a llamar al timbre cuando la puerta se abrió. El hombre de sus sueños la miró a los ojos y, tras abalanzarse sobre ella para encargarse de la maleta, dijo:

—Por fin llega... Estaba contando los minutos.

Ella miró el reloj.

—No lo entiendo. Llego puntual...

—Sí, ya lo sé, no era una recriminación —replicó con inseguridad—. Es que la mañana está siendo algo difícil.

Cassie lo miró de arriba a abajo. Se había hecho un corte al afeitarse; tenía una mancha de zumo de naranja en la camisa y ni siquiera se había atado los cordones de los zapatos.

—¿Problemas con Sasha?

Él la invitó a entrar y cerró la puerta.

—Eso me temo. No deja de llorar.

Cassie se tuvo que morder el labio para no reír. Lamentaba que Sasha tuviera un mal día, pero él lo había dicho con tanta solemnidad que le pareció de lo más gracioso.

—Son cosas que pasan.

Él sacudió la cabeza.

—¿Y qué se hace cuando pasan? Estoy completamente perdido —Ryan se pasó una mano por el pelo—. Me mira con esos grandes ojos y siento pánico. Incluso le he prometido que le daría todo lo que quisiera si dejaba de llorar.

—Pues le recomiendo que cambie de filosofía. Si le da todo lo que quiere, la malcriará y, de paso, le saldrá extremadamente cara cuando crezca un poco. Además, no debe permitir que la niña le controle. El adulto es usted.

—Sí, pero ¿qué puedo hacer? No deja de preguntar por su madre.

El buen humor de Cassie desapareció al instante.

—No me sorprende. Es un momento difícil para los dos.

—Y tanto... ¿Cómo le puedo decir que su madre no va a volver a casa y que yo soy lo único que le queda? No sé qué hacer. Cometieron un error al dejarla a mi cargo.

—No, en absoluto. Si fuera cierto que cometieron un error, no estaría tan preocupado por ella. Se dedicaría a sus cosas y no pensaría tanto en Sasha.

—En ese caso, debo de ser el mayor canalla de la ciudad...

—¿Por qué lo dice?

—Porque me encantaría despreocuparme.

Ella asintió.

—Lo que le encantaría hacer no es importante; lo importante es lo que haga. Todos pensamos cosas de las que no nos sentimos particularmente orgullosos. Pero se nos debe juzgar por los actos, no por los pensamientos.

—Puede que tenga razón, pero... ¿se recuperará alguna vez de la pérdida de sus padres?

Cassie pensó que era una pregunta difícil.

—Sí, aunque no de la forma que imagina. Con el tiempo, dejará de preguntar por ellos. Le intentaremos explicar lo sucedido, con palabras que pueda entender. Pero siempre tendrá un vacío en su interior; siempre se preguntará cómo habría sido su vida si sus padres no hubieran muerto. Es inevitable.

—Habla como si tuviera experiencia al respecto.

—La tengo. Soy adoptada —replicó con suavidad—. Descuide, todo saldrá bien. Fíjese en mí, por ejemplo... He salido adelante.

Ryan suspiró.

—Gracias por escucharme. No suelo ponerme tan pesado con desconocidos.

—No se preocupe. Me paga tan bien que lo menos que puedo hacer es darle algún consejo —bromeó.

—Pues se lo agradezco mucho.

Ryan se giró hacia el salón y añadió:

—Está viendo un vídeo, pero no sé si es lo más apropiado para su edad... ¿Qué hacen los padres en estos casos?

—Ni idea.

—Menos mal que existe la tecnología —dijo él, alcanzando otra vez su maleta—. En fin, me llevaré su equipaje. Si le parece bien, puede dormir en la habitación que está enfrente del dormitorio de Sasha. Es bastante grande y tiene su propio cuarto de baño. Además, está limpio. He descubierto que mi hermano contrató un servicio de limpieza... Al parecer, vienen todas las semanas.

—Estoy segura de que la habitación será adecuada.

Cuando él se marchó, ella se dirigió al salón. Se sentía como si estuviera en *Orgullo y prejuicio*. Ryan era como Darcy, orgulloso y distante; ella, como la valiente Elizabeth. Solo faltaba que el tiempo los uniera.

—¡Cassie! —exclamó la niña—. ¡Dibujos animados!

—Sí, ya lo veo... ¿Te estás divirtiendo?

Sasha asintió y siguió mirando la pantalla del televisor. Se notaba que había estado llorando, pero Cassie se resistió al deseo de tomarla entre sus brazos porque no se quería arriesgar a que se pusiera triste de nuevo.

Se sentó a su lado y se dedicó a escuchar sus casi incomprensibles explicaciones sobre lo que veía en la pantalla. El atractivo de Ryan añadía interés a su trabajo, pero Cassie pensó que habría aceptado el empleo aunque hubiera sido un anciano. Por una parte, estaba comprometida con Joel y, por otra, quizás más importante, Sasha la necesitaba.

Ryan se había acostumbrado al ruido, y tardó unos momentos en descubrir el motivo de su súbita falta de concentración. Cuando se dio cuenta de que era el silencio, se recostó en su sillón y se dedicó a admirar los jardines de la casa.

—Paz y tranquilidad... —se dijo.

No había tenido mucha paz ni desde luego mucha tranquilidad en los últimos días, y era consciente de que se las debía a Cassie. En las cinco horas transcurridas desde su llegada, había trabajado más que en los cinco días anteriores. De vez en cuando, se oía alguna carcajada y algún ruido fuerte; pero no le inquietaban porque la puerta del despacho estaba cerrada y porque sabía que la niña se encontraba en buenas manos.

Respiró hondo y disfrutó de sus momentos de libertad. Con Cassie en la mansión, ya no se tendría que preocupar por las comidas y los berrinches de la pequeña.

Justo entonces, llamaron a la puerta.

—Adelante...

Cassie abrió y entró en el despacho.

—¿Tiene un minuto? Necesito hablar con usted sobre un par de cosas.

—Sí, por supuesto. Siéntese, por favor.

—Gracias.

Mientras ella cruzaba la sala, él se fijó en su figura. El día anterior estaba tan preocupado que no le prestó demasiado interés. Aquella mañana, Cassie llevaba unos vaqueros y una camiseta verde de manga larga. Era de altura media, cabello corto y oscuro y rasgos bonitos; pero no se podía decir que fuera una belleza. Si la hubiera visto en la calle, no le habría llamado la atención. Pero se había convertido en la niñera de Sasha y ahora le parecía un ángel.

—¿Todo va bien? —preguntó—. Si necesita algo, dígamelo. Me encargaré de lo que sea. Haré lo que sea necesario.

Ella tomó asiento y sonrió.

—No se preocupe. No necesito que me ofrezca la luna y las estrellas...

—Entonces, ¿qué puedo hacer por usted?

—Tengo un par de preguntas.

—La escucho.

—Sasha se está echando una siesta. Se ha resistido un poco, pero al final se ha quedado dormida. ¿Sabe si está durmiendo bien?

Ryan la miró con desconcierto.

—¿Se está echando una siesta? Ni siquiera sabía que los niños se echaran siestas... No me extraña que estuviera tan nerviosa —declaró—. Los niños deberían venir con un libro de instrucciones. ¿Qué hace la gente cuando los tiene?

—Supongo que aprenden con la práctica.

—Oh, vamos, se está burlando de mí. Usted trabaja con niños. Seguro que lo sabe todo al respecto —afirmó—. Pero yo no tengo ni idea.

—No, le aseguro que no me estoy burlando de usted. Es cierto que tengo más experiencia, pero su inseguridad es absolutamente lógica. Yo también me sentiría insegura si, de repente, me viera obligada a trabajar en su empresa —alegó—. En cuanto a su pregunta, sí; Sasha es pequeña y tiene que echarse la siesta.

—Ah...

—En el colegio, los niños duermen media hora, por la tarde; pero los más pequeños descansan alrededor de una hora en una habitación separada —explicó—. Es importante que se eche una siesta después de comer. Así estará más tranquila de noche.

Él alcanzó una libreta, apuntó lo que había dicho y preguntó:

—¿Qué más?

Cassie arrugó la nariz.

—Sé que Sasha es su sobrina y que querrá estar con ella para conocerla mejor. Pero es conveniente que siga con las clases de preescolar... solo unos cuantos días, por la mañana —contestó.

Él no supo qué decir. Quería ser un buen tío para Sasha; pero, en el fondo, no deseaba otra cosa que despreocuparse por ella, hacer las maletas y volver a San José.

—Sé lo que está pensando —continuó Cassie—. Que es demasiado pronto para separarse de la niña...

—No, me temo que no estaba pensando eso, precisamente —confesó.

—Pues me alegro, porque creo que Sasha debería volver a su antigua rutina. Es importante que vuelva a la normalidad, en la medida de lo posible. Tiene amigos en el colegio y otras profesoras con las que se lleva bien. Un par de horas, dos o tres días a la semana, bastarán para que su comportamiento mejore.

—Me parece bien. A fin de cuentas, usted es la experta.

—Y usted, su familia. No quiero interferir.

Él se inclinó hacia delante.

—Cassie... Hasta la semana pasada, ni siquiera conocía a mi sobrina. Además, como ya le he dicho, no sé nada de niños. Jamás habría imaginado que me encontraría en esta situación, pero Helen no tenía más familia y John solo me tenía a mí, de modo que me ha tocado esa responsabilidad. Le agradezco cualquier idea o sugerencia que pueda mejorar mi relación con ella. Confío plenamente en usted.

—Gracias...

—De nada.

Tras unos segundos de silencio, ella preguntó:

—¿Sabe si está comiendo bien? No he notado que tenga ningún problema, pero es importante que lo sepa.

Ryan se encogió de hombros.

—Francamente, no tengo ni la menor idea. A veces se come lo que le doy y, a veces, está más interesada en tirarme la comida a mí o lanzarla contra los muebles.

Cassie sonrió.

—Está bien, no se preocupe. La observaré con atención y le daré mi opinión al respecto —dijo—. ¿Y de noche? ¿Tiene pesadillas?

Él lo pensó y dijo:

—Sí, creo que sí. A veces se pone a llorar. He tenido que ir varias a veces a su habitación, para tomarla entre mis brazos y acunarla un poco. La pobre se aferra a mí y sigue llorando —explicó con asombro.

—¿Eso le sorprende?

—No... bueno, supongo que no. Pero daría cualquier cosa a cambio de que no se encontrara en esta situación.

—Tómeselo con paciencia. Ha perdido a sus padres y es normal que esté triste. Seguro que se inventa historias sobre ellos para animarse a sí misma. Es típico de los niños que han sufrido una pérdida tan dolorosa.

—¿Usted también se inventaba historias?

Ella sacudió la cabeza.

—No, yo no me las inventaba porque no tenía nada que me recordara a mis verdaderos padres. Pero Sasha es más afortunada. Lo tiene a usted y, de paso, tiene muchas fotografías... Pero, dentro de poco, ya no se acordará de ellos. Es muy pequeña.

—Sí, claro...

Cassie cambió de posición y se pasó un mechón por detrás de la oreja.

—Crecí sabiendo que era adoptada, y Sasha crecerá sabiendo que ha perdido a sus padres. Sin embargo, yo siempre agradecí que los Wright me hubieran aceptado en su familia, y Sasha agradecerá que su tío se haya encargado de ella.

Él no estaba tan seguro, pero asintió.

—¿Es que no me cree? —continuó Cassie.

A Ryan le sorprendió que fuera tan perceptiva.

—Vaya... No sabía que, además de ser una niñera experimentada, también leyera el pensamiento —ironizó.

—No leo el pensamiento, pero es evidente que se encuentra incómodo con la niña. Se siente fuera de lugar, y es lógico. Sin embargo, dentro de poco estará tan encantado de tenerla a su lado como Sasha de tenerlo a usted. Estoy convencida de ello. Mi hermana y mi tía son todo lo que tengo, y haría cualquier cosa por ellas... Créame, Ryan —dijo con una sonrisa—. Y no se preocupe tanto.

—Supongo que tiene razón.

—Y usted tiene trabajo que hacer, así que no lo molestaré más. Gracias por haberme concedido estos minutos.

—No hay de qué.

Ella se levantó y salió del despacho. Ryan esperó a que cerrara la puerta y, a continuación, se giró otra vez hacia la ventana y contempló el jardín.

Cassie no se parecía a ninguna de las personas que había conocido. A diferencia de ellas y de él mismo, su vida no giraba alrededor de su carrera. Para Cassie, la familia era lo más importante de todo; para él, un asunto casi secundario. Al fin y al cabo, Ryan había crecido con una madre más bien distante, que trabajaba constantemente y ni siquiera se tomaba vacaciones. Pero se dijo que, entre el mundo de Cassie y el suyo, podía haber un punto medio.

Fuera como fuese, ya no tenía que preocuparse tanto por Sasha. Así que sacudió la cabeza y volvió al trabajo.

«—Callie y Jake, que eran dos gatitos, se acercaron a la cuna.

—¿Qué crees que hay ahí? —preguntó Callie, meneando los bigotes.

—No lo sé —contestó Jake, que se encaramó al colchón para mirar—. Hace mucho ruido y huele raro... Me da miedo.

La gatita moteada y el gatito naranja se miraron. En su casa pasaba algo raro, y no sabían si les gustaba».

Cassie dejó de leer en voz alta y señaló a Sasha los dibujos del cuento.

—¿Ves los gatitos? —le preguntó.

La niña los miró y dijo, sonriente:

—¡Gato!

—Exacto. Son gatos. La moteada es Callie y el naranja, Jake. Son hermanitos.

—¡Gato! —volvió a exclamar.

—Dos gatos. ¿Sabes decir «dos»?

—¡Dos!

—Muy bien...

Cassie le dio un beso en la cabeza y aspiró el aroma de la pequeña. Después de cenar, le había dado un baño y, a continuación, la había llevado a la cama. Sus primeros días con ella estaban siendo un éxito.

Sasha se estiró y bostezó, pero dijo:

—¡Lee! *Lee historia gato*.

Cassie siguió leyendo la historia de los dos gatos que estaban asustados por la presencia de un bebé en su casa y que, al final, naturalmente, se encariñaban con él.

—Y colorín colorado, este cuento se ha acabado... Es hora de dormir.

—No... Lee...

Cassie cerró el cuento y lo dejó a un lado.

—No, esta noche no hay más cuentos. Ahora tienes que dormir —Cassie la tapó bien y le dio otro beso—. Buenas noches, preciosa. Hasta mañana.

La niña parpadeó con pesadez.

—Lee... *No toy cansada*.

Cassie soltó una carcajada.

—Mentirosa. Estás agotada... Te quedarás dormida en menos de dos minutos.

En ese momento, Ryan llegó a la entrada del dormitorio. Tenía intención de dar las buenas noches a su sobrina; pero esas cosas le incomodaban tanto que, al verla con Cassie, se dijo que estaba en buenas manos y siguió andando hasta llegar a su despacho.

Sin embargo, el silencio, la soledad y la perspectiva de trabajar un poco no sirvieron para que se sintiera mejor, como en tantas otras ocasiones. Su vida había cambiado. Ahora había una niña que dependía de él. Y no estaba seguro de que el cambio le gustara.

Se giró y contempló el retrato que colgaba sobre la chimenea. En él, Helen y John sostenían a Sasha, sonrientes. Lo habían pintado cuando la niña tenía alrededor de un año.

—Maldita sea, John... —dijo en voz alta, con el corazón encogido—. ¿Qué diablos quieres de mí? No sabes cuánto te echo de menos. No sabes cuánto lamento tu muerte.

Ryan carraspeó, emocionado. Pero nunca había sido un hombre que se dejara llevar por las emociones, así que apartó la mirada del cuadro y se puso a trabajar.

Capítulo 3

CASSIE estaba removiendo el contenido de una cacerola cuando Sasha dijo:

—¿Ayudo?

Cassie sonrió a la niña, que estaba sentada en su sillita.

—No hace falta. Ya me ayudas mucho...

La niña le dedicó una sonrisa encantadora, y Cassie abrió el horno para comprobar el asado. Aún le faltaba alrededor de cuarenta minutos; tiempo más que suficiente para preparar las patatas.

Mientras cocinaba, pensó en los tres días que llevaba con Sasha y su tío. Se habían acomodado en una rutina perfecta para todos. Ella cuidaba de la pequeña y, entre tanto, él trabajaba.

Ryan no solía participar en el día a día de su sobrina, pero a Cassie le encantaba saber que estaba en la casa, con ellas. Había algo extrañamente agradable en la situación. Como si fueran una familia de verdad.

De vez en cuando, se permitía soñar que todo aquello era real; que aquella era su casa, que Sasha era su hija y, como consecuencia necesaria de las dos cosas, que Ryan era su pareja. Venía a ser como volver a ser niña y volver a jugar a las casitas, con la diferencia de que, esta vez, no podía abandonar el juego cuando se cansaba; y, sobre todo, con la diferencia de que ahora tenía el problema añadido de las hormonas, que la estaban volviendo loca.

De repente, le pareció tan absurdo que rompió a reír.

—¿Qué es tan divertido?

La voz de Ryan la sobresaltó. Estaba en el umbral de la cocina, apoyado en el marco y con los brazos cruzados sobre el pecho. Como de costumbre, llevaba unos pantalones vaqueros y una camisa remangada hasta los codos.

Cassie pensó que había algo inmensamente masculino en él; algo que no había notado nunca en Joel, por mucho que también fuera un hombre.

—Nada. Nada importante —respondió ella—. Solo estaba pensando...

—Ah.

Cassie se había ruborizado un poco, pero se dijo que, con un poco de suerte, Ryan pensaría que estaba colorada por el calor del horno.

—¿Qué estás cocinando? —preguntó él, que ya la había empezado a tutear.

—Un asado, un puré de patatas y unas judías verdes. Siento no haberte preguntado si tenías alguna preferencia. Suelo preparar cosas sencillas como estas... pero, si te apetece algo distinto, haré lo que pueda.

Él se metió las manos en los bolsillos.

—No estás aquí para cocinar. Eres la niñera de Sasha —declaró—. Tendría que haber contratado a alguien para que se encargara de las comidas.

—No te preocupes, no me importa. De hecho, me gusta cocinar.

Ryan la miró con intensidad.

—Comprendo. Estás practicando —dijo.

Cassie se quedó con la mente en blanco. La belleza de sus ojos verdes y de sus rasgos fuertes y perfectamente proporcionados la embriagó hasta el extremo de que perdió el hilo de la conversación y se le quedó mirando como una tonta.

—¿Cassie?

—¿Qué? Ah, sí... ¿Practicando? ¿Practicando para qué?

—Para cuando te cases, claro —contestó—. Supongo que cocinar y cuidar de una niña sirve como experiencia prematrimonial.

—No lo había pensado de ese modo...

—Pues se te da muy bien. Tu novio es un hombre muy afortunado.

Durante un par de segundos, Cassie se volvió a quedar perpleja. ¿Su novio? Tuvo que hacer un esfuerzo para recordar que estaba saliendo con Joel y que, teóricamente, tenían intención de casarse.

—Gracias. Se lo diré la próxima vez que lo vea.

—¡Tío! —exclamó la niña en ese momento—. ¡Arriba!

—¿Arriba? ¿Qué quiere decir con eso? —preguntó Ryan a Cassie.

—¿Qué crees que quiere decir? —dijo ella con humor—. Que la levantes de la sillita y la abraces un poco, por supuesto...

—Me lo temía.

Ryan se acercó a su sobrina y la levantó de la sillita; pero, en lugar de apretarla contra su pecho, la sostuvo con los brazos prácticamente extendidos, como si le diera miedo.

—No, la tienes que abrazar para que se sienta a salvo. Ponle un brazo por detrás y apriétala contra tu pecho. Así podrá pasar los brazos alrededor de tu cuello.

Ryan no tuvo ocasión de seguir sus instrucciones, porque la niña ya se había cansado de esperar y dijo:

—¡Abajo!

Ryan la dejó en el suelo.

—Lo siento. No tengo mucha práctica con los niños.

—Bueno, ya aprenderás.

Sasha miró a su tío de forma extraña, como si estuviera al borde de las lágrimas. Cassie se dio cuenta y decidió intervenir.

—¿Me ayudas a poner la mesa?

—¡Sí!

Cassie abrió un cajón y le dio tres tenedores.

—Toma. Ponlos en su sitio.

Sasha se acercó a la mesa y puso dos de los tenedores; pero, en lugar de dejar el tercero, se volvió hacia su tío y se lo ofreció. Ryan lo aceptó, desconcertado. Y la niña sonrió de oreja a oreja antes de salir corriendo de la cocina.

—¿Quieres que termine de poner la mesa? —preguntó entonces Ryan—. A mí me puedes dar los cuchillos. No me cortaré con ellos.

Cassie sonrió.

—Por supuesto...

Mientras él terminaba de poner la mesa, ella siguió cocinando. Tras unos minutos de silencio, ella preguntó:

—¿Te acostumbras a trabajar aquí?

Él se encogió de hombros.

—Sí, más o menos. A decir verdad, hay pocas cosas que no pueda hacer por videoconferencia o correo electrónico. Es posible que tenga que hacer un par de viajes a San José, pero serán cortos —le informó.

Sasha reapareció en la cocina con una de sus muñecas, que dio a su tío.

—Gracias —dijo él.

Sasha se rio y se volvió a marchar.

—¿Qué tengo que hacer con esto? —preguntó Ryan.

—Nada, excepto tenerlo en la mano. Volverá dentro de unos momentos, y si ya no sostienes la muñeca, se sentirá ofendida.

Ryan miró la muñeca con horror.

—Lo que faltaba. Es pelirroja. Y no me gustan mucho las pelirrojas.

—Quizá se lo deberías decir.

Cassie ardía en deseos de preguntarle si las morenas le gustaban más, pero se lo calló. Segundos después, tal como ella había anunciado, Sasha regresó a la cocina, se detuvo ante su tío y le ofreció un conejito de peluche.

—Gracias. Eres muy amable.

La niña volvió a reír y nuevamente salió corriendo.

—Parece que va a vaciar toda su caja de juguetes... —dijo Cassie—. Será mejor que te pongas cómodo.

Sasha apareció esta vez con un libro y, en lugar de

limitarse a darle las gracias, Ryan se llevó una mano al bolsillo para darle algo a cambio. Solo tenía las llaves y algunas monedas, así que le dio un centavo.

La niña se quedó boquiabierta.

—¡Moneda! —dijo, como si fuera el mayor de los tesoros—. ¡Cassie! ¡Moneda!

—Vaya... —replicó Cassie exageradamente.

Sasha se apretó el centavo contra el pecho y salió de la cocina.

—Creo que te acabas de ganar su amistad —continuó ella.

—¿Quién lo habría imaginado? Ni siquiera sabía que entendiera el concepto del dinero.

—Dudo que sepa diferenciar un centavo de un dólar, pero es evidente que ya tiene alguna noción sobre el dinero. Sin embargo, sospecho que le gustan más las monedas que los billetes.

—Entonces, me saldrá más barata —bromeó.

Sasha volvió con un muñeco de Mickey Mouse y él le dio otro centavo. Tras repetir el juego varias veces, Ryan se quedó sin monedas.

—Lo siento. No tengo más —se excusó.

Sasha lo miró con una sonrisa, como si le quisiera decir que no tenía importancia. Momentos después, sonó la alarma del horno.

—El asado está preparado y el puré de patatas lo estará dentro de cinco minutos —anunció Cassie—. ¿Te puedes llevar los muñecos de Sasha? Necesito un poco de espacio...

—Por supuesto. De todas formas, tengo que ir al despacho.

Cassie se sintió terriblemente decepcionada. Por lo visto, no iba a comer con ellas.

—¿Es que no tienes hambre?

Él miró un momento a su sobrina y dijo:

—No, ahora no. Comeré un poco más tarde.

Ryan se marchó y la dejó a solas con Sasha, que parecía tan decepcionada como ella.

—Sé cómo te sientes. Yo también quería que comiera con nosotras. Y no solo por mí, sino también por ti... porque sé que os necesitáis el uno al otro. Por desgracia, creo que todavía no se ha dado cuenta.

Cassie se inclinó hacia delante y apoyó los codos en la mesa de la cocina.

—No sé qué hacer con Ryan —dijo.

Charity se sirvió una taza de café.

—Debe de ser frustrante...

—No sabes cuánto.

Cassie se alegraba de haber vuelto a la casa de su familia y de poder hablar con su hermana y su tía. La mansión victoriana se parecía en tamaño a la de Ryan, pero no podía ser más diferente en todo lo demás. ¿Quién habría imaginado que la echaría de menos? Sobre todo, teniendo en cuenta que solo llevaba una semana lejos de casa. Hasta se llevó una alegría al ver al viejo Withers en el jardín, cortando el césped.

—Sasha y yo lo vemos menos ahora que cuando empecé a trabajar para él.

Cassie cerró una mano sobre su taza de café y echó un vistazo al reloj de la cocina. No tenía mucho tiempo. Debía pasar por el colegio para recoger a la niña.

—No sé qué hacer —repitió—. Es evidente que se siente incómodo con ella... Hace unos días, mientras yo estaba cocinando, Sasha se dedicó a llevarle sus juguetes. A Ryan le hizo gracia y hasta le dio unas cuantas monedas de poco valor a cambio de sus ofrendas. Parecía que se estaba divirtiendo, pero se fue.

—¿Cómo lo lleva Sasha? —preguntó Chloe.

Chloe, la hermana de Cassie, se estaba tomando un zumo. Le gustaba mucho el café, pero los médicos le habían recomendado que renunciara a la cafeína durante el embarazo.

—Bastante bien, teniendo en cuenta lo que ha sufrido. De vez en cuando llama a su madre y se pone a llorar, pero se le pasa. Supongo que tendríamos que hacer algo al respecto... Explicarle de algún modo que sus padres se han ido y que no van a volver. Pero, sinceramente, no sé cómo hacerlo.

—¿Duerme y come bien? —se interesó Charity.

—Sí, muy bien. Creo que el hecho de estar en su casa de siempre y con las mismas rutinas le es de gran ayuda. Ryan había considerado la posibilidad de llevársela a San José, pero no quiere tomar la decisión ahora, así que se va a quedar unas semanas más.

—Comprendo —dijo su tía.

—No es que sea insensible... Pero a veces olvida las necesidades de su sobrina.

—Me cuesta creer que sea tan silenciosa como para que se olvide de ella —ironizó Chloe.

Cassie sonrió.

—Bueno, digamos que Ryan tiene una capacidad asombrosa de concentrarse en su trabajo y olvidar lo demás.

—Nunca ha estado con niños —intervino Charity—. Su actitud no me extraña en absoluto, y a ti tampoco te debería extrañar. ¿Cuántas veces has recibido llamadas de padres asustados porque se habían quedado a cargo de sus hijos por primera vez y no sabían qué hacer? Es una situación bastante difícil.

Charity dejó un plato de galletas en la mesa y añadió:

—Además, es posible que se comporte de esa forma porque acaba de perder a su hermano. Puede ser su forma de llorarlo.

Cassie se llevó una de las galletas de chocolate a la boca.

—No lo había pensado, pero puede que tengas razón. Sin embargo, la pregunta sigue siendo la misma... ¿Qué voy a hacer?

—Recordarle sus responsabilidades —contestó su tía—. Te está utilizando como red de seguridad... y, de momento, no tiene nada de malo. Pero no vas a estar siempre con él.

Cassie suspiró. No era una conversación que le apeteciera mantener con Ryan.

—¿Sabíais que conoció a su sobrina en el entierro? No la había visto nunca —declaró—. Me parece increíble que una familia pueda tener un trato tan distante.

Chloe le dio una palmadita en la mano.

—No todas las familias son como la nuestra —observó—. Algunas no se llevan bien.

—Pues es una pena... —comentó Cassie—. En fin, tendré que decirle algo.

—¿Cómo se porta Sasha cuando está con él? —quiso saber Chloe—. ¿Le tiene miedo?

—No, en absoluto. Sasha le pide constantemente que la tome en brazos. Él lo intenta, pero le incomoda y no sabe qué hacer al respecto. Por fortuna, la niña es un encanto y lo perdona enseguida.

—Bueno, ya es algo —dijo Chloe—. Sasha puede ser tu aliada. Con un poco de suerte, conseguiréis que Ryan pierda el miedo.

Cassie volvió a sonreír.

—Gracias por vuestras opiniones. Sabía que me daríais buenos consejos.

Su hermana le devolvió la sonrisa.

—No hay de qué, Cassie. Pero, hablando de hombres que no tienen remedio, ¿qué piensa Joel de este asunto?

—No hables así de Joel —protestó Cassie.

—Está bien... pero ¿qué le parece? ¿No le preocupa que vivas con un hombre atractivo y tan refinado como Ryan?

—Joel no piensa en esos términos. Hemos hablado varias veces por teléfono y se ha mostrado muy comprensivo con lo que hago. No es un celoso.

—Me alegra que lo comprenda —intervino Charity.

—Joel no tiene ni dos dedos de frente —insistió Chloe—. Me parece increíble que se cruce de brazos como si no le importara.

—No seas tan injusta con él —declaró Cassie—. Si se hubiera enfadado y hubiera insistido en que abandonara esa casa, dirías que es un machista.

Chloe la miró con incomodidad.

—Eso no es cierto —dijo sin demasiada convicción.

Charity dio una palmadita a Cassie.

—Estoy segura de que, a pesar de lo que diga, Joel estará un poco celoso. Cualquier hombre lo estaría. Pero lo disimula —afirmó—. En cuanto a Ryan y Sasha, creo que vas por el buen camino. Ten paciencia. Todo saldrá bien.

—Eso espero..

Las tres mujeres estuvieron charlando unos minutos más. Luego, Cassie se levantó y Chloe la acompañó al coche.

—Estás preciosa, ¿sabes? —dijo Cassie cuando llegaron al vado.

Su hermana se llevó una mano al estómago.

—No sé si estaré preciosa, pero soy la mujer más feliz del mundo. Estar enamorada es lo mejor que te puede pasar.

—Entonces, ¿no lo lamentas? Lo digo porque todo fue tan rápido... En muy poco tiempo, Arizona pasó de ser un desconocido a convertirse en tu amante.

—Sí, lo sé. Fue tan rápido que a veces me pregunto si es real. Pero, cuanto más estoy con él, más me alegro. Es perfecto para mí. Nos entendemos tan maravillosamente bien que, a veces, me da miedo. Será cosa del camisón mágico.

—Será...

Chloe la miró.

—Faltan pocas semanas para que te lo pongas —le recordó—. Seguro que lo estás deseando...

Cassie lo había estado deseando durante mucho tiempo; pero, paradójicamente, aquel día no lo deseaba en absoluto.

—Yo no soy una verdadera Bradley y, aunque lo fuera, estoy comprometida con Joel.

Chloe le dio un abrazo.

—Tu corazón es el de una Bradley, y eso es lo único que importa —declaró con vehemencia—. En cuanto a tu novio... no sé qué has visto en ese hombre. ¿Por qué te gusta tanto?

—Déjalo estar, Chloe. No quiero discutir contigo —se defendió.

—Está bien, lo siento. Tu vida ya es bastante complicada como para que venga yo a complicarla más. Será mejor que olvidemos el asunto.

—Gracias.

Tras despedirse, Cassie subió al coche y se dirigió al colegio para recoger a Sasha. Se sentía culpable por Joel. Él no había cambiado. Seguía siendo el mismo hombre del que se había enamorado años antes; un hombre bueno, cariñoso, amable y honrado.

¿Qué podía haber más importante?

—La pasión —se dijo en voz alta.

Cassie no se quería plantear ese problema. Una y otra vez, se repetía a sí misma que el sexo era secundario y que, si había sobrevivido sin él durante tanto tiempo, podía continuar sin él. Además, estaba convencida de que las cosas cambiarían cuando se casaran. Entonces, se convertirían en amantes; y, sin duda alguna, su relación sexual sería tan agradable como la amistad que compartían.

—Pero yo no quiero algo agradable. Quiero fuego... quiero sentirme dominada por el deseo; quiero sentirme viva.

Como en tantas ocasiones, intentó olvidar el asunto. Pero sus traicioneros pensamientos se negaron a desaparecer; y en el fondo de su corazón, ya no estaba segura de que fueran inadecuados.

Capítulo 4

¡TE alcanzaré!

La voz de Cassie resonó en el piso de arriba, junto con las carcajadas de la niña. Ryan había oído sonido de agua unos minutos antes, y supuso que la estaba bañando para acostarla después; pero, por lo visto, el baño había terminado en juego.

Las cosas iban bien. Cassie llevaba a Sasha al colegio, la recogía, jugaba con ella por la tarde, se encargaba de que se echara una siesta, jugaban un poco más, cenaban y, por último, después de un baño, la acostaba. Era agradablemente rutinario, y permitía que él se concentrara en sus obligaciones y mantuviera las distancias con la pequeña; pero, a pesar de ello, se mantenía atento a todo lo que sucedía a su alrededor.

Al cabo de un rato, la casa se quedó en silencio y él dio por sentado que Sasha se había dormido. La paz y el silencio volvían a reinar. Pero, antes de que pudiera seguir trabajando, llamaron a la puerta.

—Entra, por favor...

Ella entró en el despacho y él le dedicó una sonrisa. En realidad, se veían muy poco; su relación se limitaba a un par de encuentros ocasionales a lo largo del día y a las cortas visitas de Cassie, que siempre le llevaba bandejas con comida.

—¿Tienes tiempo para hablar conmigo?

—Por supuesto. Siéntate.

—Gracias.

Cassie se sentó al otro lado de la mesa.

—Antes de que empieces, quiero decirte que estás haciendo un trabajo magnífico con Sasha. Se la ve muy feliz. Te lo agradezco mucho.

Cassie se echó el cabello hacia atrás.

—No es para tanto; me limito a cumplir con mis obligaciones. Además, tu sobrina me lo pone muy fácil; es absolutamente encantadora.

—Me alegro...

Ella carraspeó.

—Cuando me contrataste, hablamos de las condiciones generales del trabajo y del salario —empezó a decir—. Pero no llegamos a ningún acuerdo sobre los días libres.

Ryan la miró durante un par de segundos con desconcierto, como si lo hubiera pillado por sorpresa.

—Ah, sí, es verdad... No se me ocurrió —dijo, encogiéndose de hombros—. ¿Cuánto tiempo necesitas? Puede que tenga fama de lo contrario, pero te aseguro que no soy precisamente un esclavista con las personas que trabajan para mí.

—No necesito mucho. A decir verdad, tengo bastante tiempo libre cuando Sasha está en el colegio. ¿Te parecería bien dos noches entre semana y un día entero cada dos? No creo que te causara ningún problema. Cuando no esté, me encargaré de que alguien se ocupe de la niña. Y en cuanto a las noches, Sasha duerme bien y no te molestará.

Él sintió pánico ante la perspectiva de volver a quedarse a solas con su sobrina, pero Cassie tenía derecho a librar de vez en cuando y, por otra parte, era cierto que Sasha dormía hasta bien entrada la mañana.

—Está bien. ¿Cuándo quieres que te dé la primera noche?

—Hoy.

—Ah... —dijo, sorprendido.

—Si hay algún problema...

—No, no, en absoluto.

Cassie no hizo ademán de levantarse. Se quedó en el asiento y cambió de posición con nerviosismo, así que Ryan supo que tenía algo más que decir.

—¿De qué más quieres que hablemos? —le preguntó.

Ella se llevó una mano a la oreja y se tocó uno de los pendientes con forma de corazón que siempre llevaba puestos.

—De Sasha.

Él la miró con interés.

—Te escucho.

—Sasha es tu sobrina.

—Ya lo había notado —dijo con humor.

Ella carraspeó de nuevo.

—Sé que te sientes incómodo con ella y que no estás acostumbrado a vivir con niños. También sé que tu trabajo es muy exigente y que, por si eso fuera poco, has perdido a tu hermano y te has visto en la obligación de cambiar de ciudad y quedarte a vivir en esta casa.

Ryan no supo adónde pretendía llegar, pero tuvo la impresión de que no le iba a gustar nada.

—Sí, eso es cierto.

Cassie lo miró a los ojos.

—Sin embargo, no puedes ningunear a Sasha eternamente. No va a desaparecer. Si a ti te cuesta asumir la pérdida de tu familia, imagina cómo es para ella. Es demasiado pequeña para entender nada... solo sabe que sus padres ya no están. Está asustada y te necesita; necesita saber que puede contar contigo.

—Y puede contar conmigo. No me voy a ir a ninguna parte.

—Eso está muy bien, Ryan. Supongo que, si Sasha fuera mayor, lo comprendería y te lo agradecería mucho. Pero solo tiene dos años y, ahora mismo, tus actos hablan más fuerte que tus palabras.

—Cassie, yo...

—Sé que esto es muy difícil para ti —lo interrumpió—. Tu hermano ha muerto, Helen ha muerto y, súbitamente, tienes que cuidar de tu sobrina. Supongo que te encierras en ti mismo porque no sabes afrontarlo de otra forma, pero no es lo más adecuado para Sasha. Es importante que estés con ella y que se dé cuenta de que tú también la necesitas.

Ryan pensó que no necesitaba a Sasha. Nunca había necesitado a nadie. Su madre le había enseñado a ser independiente, a confiar en sí mismo y a trabajar duro, pero no dijo nada porque creyó que ella no lo entendería.

Sin embargo, se sintió culpable. Cassie tenía razón. No podía mantener las distancias con su sobrina;

al menos, no eternamente. Además, su hermano le había confiado a su hija y estaba obligado a cuidar de ella, aunque no fuera la persona más adecuada.

—Creo que comprendo tu punto de vista. ¿Qué puedo hacer?

Ella ladeó la cabeza y sonrió.

—Esfuérzate un poco por conocerla. Tómatelo como si fuera... una vecina nueva, por ejemplo. ¿Qué harías si se presentara en tu puerta?

—Nada. Nadie llama a mi puerta. No soy muy sociable.

—¿Es que prefieres vivir solo?

Él asintió.

—Es más sencillo.

—¿Sin relaciones?

—Todo se complica cuando mantienes una relación con alguien.

Cassie frunció el ceño.

—Eso suena muy triste...

—Y a veces lo es, pero es el precio a pagar a cambio de la independencia.

Ryan la miró de nuevo. Se estaba empezando a sentir incómodo con la conversación, así que la retomó en el punto original.

—¿Qué haría si se presentara una vecina en mi puerta? No sé, supongo que me presentaría, le estrecharía la mano y charlaríamos un poco.

—Pues con Sasha no es muy diferente. Pasa más tiempo con tu sobrina. Intenta entender su mundo.

—¿Su mundo? Solo tiene dos años...

—Pero ya tiene su propio mundo. Y no es tan diferente al tuyo como crees.

—¿Quieres que juegue a las muñecas con ella?

Cassie sonrió.

—Bueno, yo estaba pensando en que pases más tiempo con Sasha, quizás durante las comidas. También la puedes llevar de paseo y leerle cuentos antes de que se duerma. Pero, si te apetece jugar a las muñecas, adelante.

Él cambió de posición, más incómodo que nunca.

—Te agradezco el consejo, pero me siento muy inseguro cuando estamos juntos. Es tan pequeña que tengo miedo de hacerle daño. Y no entiendo la mitad de las cosas que dice.

—¿Y crees que yo las entiendo?

Ryan la miró con sorpresa.

—¿No las entiendes?

—Pues claro que no —respondió, echándose hacia delante—. Ha mejorado mucho con las palabras, pero está lejos de ser la reina de los debates intelectuales. El truco consiste en prestar atención a su lenguaje físico, a sus expresiones... en general, te dirán lo que quiere o necesita. Y cuando no te digan nada, solo tienes que asentir y comportarte como si estuvieras enormemente interesado en lo que dice.

—Haces que parezca muy sencillo.

—Porque es muy sencillo —afirmó—. Eres un hombre inteligente y aprenderás enseguida. Además, no te estoy pidiendo que cuides de ella constantemente... ten en cuenta que, si lo hicieras, perdería mi trabajo. Solo te pido que pases más tiempo con ella; que, poco a poco, te ganes un espacio en el mundo de tu sobrina. Sé que lo puedes hacer. Eres más perceptivo que la mayoría de los padres.

Él la miró con desconfianza.

—Demasiados halagos, Cassie.

—¿Cómo? —preguntó ella, desconcertada.

—Que me has dedicado demasiados halagos. La gente hace esas cosas cuando te quiere meter en un buen lío.

—Oh, vamos, no es para tanto... —declaró con una sonrisa.

Cassie pronunció las palabras de una forma tan femenina y coqueta que despertó el interés de Ryan. Admiró sus ojos, su generosa sonrisa, la forma en que temblaba su pelo cuando movía la cabeza. Por supuesto, no era la primera vez que se fijaba en su físico; pero fue la primera vez que se fijó en ella como si no estuviera delante de la niñera de Sasha, sino delante de una mujer muy atractiva.

Sin darse cuenta, clavó la vista en las generosas curvas de sus senos. Aquella noche llevaba un vestido de manga larga, de color claro, y zapatos de tacón alto. Ryan se preguntó cómo era posible que estuvieran viviendo en la misma casa y no hubiera sido consciente de su belleza hasta ese momento.

—¿Quién eres? —preguntó sin pensar—. ¿De dónde has salido?

—¿A qué viene eso? ¿Intentas practicar las preguntas que le vas a hacer a tu sobrina? —replicó ella con ingenuidad—. Me parecen demasiado complicadas...

Él pensó que quizás lo fueran para Sasha, pero no para ella. Quería saber más de Cassie Wright. ¿Cuántos años tenía, por ejemplo? Sabía que se lo había dicho, pero no lo recordaba. ¿Veintidós, veintitrés, quizá veinticuatro? Le parecía asombroso que le hubiera prestado tan poca atención. Aunque, por otra parte, tampoco era tan extraño; a fin de cuentas, no se parecía nada a las mujeres refinadas y elegantes con las que siempre había salido.

—Bueno, será mejor que te deje. Tendrás trabajo que hacer —dijo ella.

—¿Dónde vas esta noche?

Ella lo miró con curiosidad.

—He quedado con Joel. Vamos a ver una película.

—Háblame de Joel.

—¿De Joel? —Cassie frunció ligeramente el ceño—. Qué puedo decir... Trabaja mucho. En eso, se parece a ti.

—¿Y a qué se dedica?

—Es director adjunto en un departamento de la Bradley Discount Store. Tiene un cargo importante. Lo ascenderán dentro de un par de años y se convertirá en el director más joven de la empresa. Lleva en ella desde los dieciséis años.

—Se nota que aprecian su trabajo...

Ella asintió.

—Sí, lo ha hecho bien. Además, está estudiando Empresariales. Algún día, será profesor universitario. Es un hombre maravilloso.

—Estoy seguro de ello.

—Pero no se parece nada a ti, por supuesto.

Él arqueó una ceja.

—¿Insinúas que yo no soy maravilloso?

Cassie se ruborizó.

—No, no, ni mucho menos. No pretendía...

Ryan sonrió.

—No te preocupes. Sé que no insinuabas eso. Solo querías decir que Joel y yo no tenemos muchas cosas en común.

—No muchas, la verdad. Él ha vivido en Bradley toda su vida y tú has estado por medio mundo. Además, tú eres mucho más refinado y, también, mayor que él... Solamente me saca unos meses —le informó Cassie.

—¿Desde cuándo sales con él?

—Desde hace nueve años.

Él parpadeó, perplejo.

—¿Nueve años?

El rubor de Cassie se transformó súbitamente en palidez.

—Sí, empezamos a salir cuando estábamos en el instituto.

—Pues no lo entiendo.

—¿Qué es lo que no entiendes?

—Que no te hayas casado con él. Si no recuerdo mal, dijiste que os habíais comprometido.

—Sí, bueno... No estamos oficialmente comprometidos —puntualizó.

—Pero sales con él desde hace nueve años —insistió Ryan.

—¿Y eso qué tiene de particular?

Él se encogió de hombros.

—Nada, supongo. Es que me extraña que seáis novios desde hace nueve años y ni siquiera viváis juntos —admitió—. Pero no soy quién para hablar de esas cosas. Yo no he estado con nadie tanto tiempo; creo que ni siquiera he llegado a nueve meses.

—Lo nuestro es simple cautela. No queremos cometer un error. Sabemos que el matrimonio es algo muy serio, así que nos lo tomamos con tranquilidad para estar seguros.

A Ryan le extrañó que no estuvieran seguros después de nueve años de noviazgo, pero guardó silencio. Al fin y al cabo, no era asunto suyo.

Justo entonces, llamaron al timbre de la puerta principal.

—Será mejor que abra —dijo Cassie.

Cassie se levantó del sillón y salió del despacho tan deprisa como pudo, pero Ryan la siguió. Aunque no se quería meter en su vida privada, sentía curiosidad y quería conocer al hombre que llevaba nueve años con su niñera.

Llegó al vestíbulo cuando Cassie ya había abierto la puerta.

Los dos hombres se miraron. Joel era algo más bajo que él, de alrededor de un metro ochenta. Usaba gafas, tenía el pelo rubio y ondulado y llevaba unos pantalones de color caqui y una camisa azul, de manga larga.

Joel parpadeó primero. Dio un paso adelante, le ofreció una mano y sonrió.

—Usted debe de ser Ryan Lawford. Cassie me ha hablado mucho de su familia. Sé que está encantada de cuidar de su sobrina... los niños siempre se le han dado bien —declaró—. Por cierto, lamento mucho la pérdida de su hermano y de su cuñada. Fue algo terrible.

Ryan se dio cuenta de que deseaba que Joel le cayera mal o, al menos, que le disgustara en algún sentido. Pero era exactamente lo que había imaginado; un joven agradable, educado y sincero.

Le estrechó la mano y dijo:

—Gracias, Joel.

Cassie se acercó entonces a su novio, pero ni se besaron ni intercambiaron ninguna muestra física de afecto. Sin embargo, Ryan supuso que mantenían las distancias porque él estaba presente, y que eso cambiaría cuando estuvieran a solas. Además, era obvio que se llevaban muy bien. Se sentían perfectamente cómodos el uno con el otro; tan cómodos, que él se sintió fuera de lugar.

—Bueno, que disfrutéis —dijo, girándose hacia Cassie—. Tienes llave de la casa, ¿verdad?

—Sí, me diste una copia la semana pasada. Pero no te preocupes, Ryan; volveré antes de la medianoche.

—No es necesario..

—Ya lo sé; pero Joel y yo estamos muy ocupados y mañana nos tenemos que levantar pronto —le informó.

Cassie y Joel se despidieron y se marcharon.

Ryan se quedó en el vestíbulo hasta que el coche desapareció en la distancia. De repente, se sentía solo. Estaba en una ciudad desconocida para él y su única amiga se acababa de ir con su novio.

Consideró la posibilidad de llamar a algún amigo y charlar un rato, pero la desestimó. No tenía amigos a los que pudiera llamar sin más intención que hablar por teléfono. La única persona con la que podía hacer esas cosas era John; pero John ya no estaba con él; se había ido para siempre.

Por primera vez, fue consciente de que se había quedado solo en el mundo. Ya no tenía a nadie. A nadie salvo a Sasha.

Su mirada se clavó en la escalera de la mansión. La niña estaba durmiendo y, por supuesto, no la quería despertar. Pero, de repente, le pareció que los consejos de Cassie no era tan disparatados. En cuanto amaneciera, haría un esfuerzo e intentaría conocer un poco mejor a su sobrina.

Por algún motivo, aquello le alegró. Volvió al despacho y siguió trabajando. Ya no se sentía tan solo como antes.

Capítulo 5

CASSIE alcanzó su refresco y bebió un poco mientras intentaba encontrar algo que decir. El bar estaba lleno de gente que acababa de salir del cine. Como de costumbre, su cita con Joel había consistido en ver una película e ir después a tomar un pedazo de tarta. A veces, sustituían la sesión de cine por una cena en un restaurante; pero nunca hacían otra cosa, y Cassie lo empezaba a encontrar aburrido.

—La nueva remesa era tan mala como la anterior —estaba diciendo Joel—. Casi todo estaba roto, así que llamé al distribuidor y le dije lo que podía hacer con sus cien lámparas rotas. Incluso le amenacé con poner fin a nuestra relación comercial si no recibíamos cien lámparas perfectas el sábado por la mañana.

—¿Y crees que las enviará?

—Claro que sí. No nos puede perder. Somos uno de sus clientes más importantes.

Cassie pensó que aquello no era justo; Joel no tenía la culpa de no ser uno de los tipos más interesantes del planeta. Y cuando él siguió hablando sobre mercancía defectuosa, ella hizo un esfuerzo por prestarle toda su atención.

Pero su pensamiento vagó hasta muy lejos, al este, a unos diez kilómetros de distancia. Hasta la mansión de Ryan Lawford.

¿Estaría trabajando? ¿Se habría ido a la cama? Cassie se maldijo a sí misma por pensar en Ryan mientras estaba en compañía de su novio. Definitivamente, no era justo. Joel era guapo, amable y honrado. Se lo pasaba bien cuando estaba con él y, durante mucho tiempo, se había convencido a sí misma de que eso era suficiente.

Sin embargo, ya no estaba tan segura.

—Entonces, ¿no te ha gustado la película?

—¿Cómo? ¿Qué has dicho? —preguntó ella, aún sumida en sus pensamientos.

—Que si no te ha gustado la película...

—Ah, eso... sí, no estaba mal.

Joel se comió su último pedazo de tarta, apartó el plato y, tras probar el café, dijo:

—¿Qué ocurre, Cassie? Pareces distante, como si no estuvieras aquí.

Ella no se molestó en negarlo. Joel la conocía demasiado.

—Es que tengo muchas cosas en la cabeza... De hecho, estaba pensando en Ryan.

Él asintió como si ya se lo hubiera imaginado.

—Es un hombre interesante. ¿A qué se dedica?

A Cassie le sorprendió que Joel no se hubiera enfadado con su confesión.

—Es dueño de una empresa de programas electrónicos. Venden videojuegos y cosas así, pero generalmente trabajan para empresas más grandes. Según tengo entendido, la fundó él mismo, cuando salió de la universidad.

Joel frunció el ceño.

—Debe de ser una situación muy difícil para él. Primero pierde a su hermano y, después, descubre que es tutor de su sobrina. Estoy seguro de que te está muy agradecido. Yo lo estaría si alguien lo abandonara todo por echarme una mano, como has hecho tú. Eres una persona maravillosa.

—Bueno, no soy precisamente una santa... —dijo, nerviosa—. Además, cuidar de Sasha es mucho más fácil que cuidar de una clase entera en el colegio, y Ryan me paga mucho mejor. No hay nada noble en lo que estoy haciendo.

—Eres demasiado modesta. La mayoría de las personas ni siquiera se habrían ofrecido a cuidar de la niña.

—Es posible, pero...

—¿Sí?

—Joel, ¿no te molesta que esté viviendo con Ryan? —preguntó directamente—. ¿No te incomoda la situación?

—¿Qué situación? —replicó, sinceramente sorprendido.

El desconcierto de Joel solo sirvió para que Cassie se sintiera insultada.

—La de que esté viviendo con un hombre soltero y extremadamente atractivo —dijo con brusquedad—. Estamos solos. Él y yo, día tras días.

Joel la miró en silencio durante unos momentos y, a continuación, rompió a reír.

—¿Celoso? ¿Yo? Oh, Cassie... No te preocupes por eso. Agradezco tu preocupación, pero no es necesaria.

Cassie sintió el deseo de lanzarle a la cara el plato de tarta, pero se contuvo.

—En serio... —añadió él cuando terminó de reír—. No estoy celoso en absoluto. Sé que un hombre como Ryan no se fijaría en una mujer como tú.

—Ah, comprendo. Crees que no soy suficientemente refinada ni tengo una vida suficientemente interesante.

—Exacto.

Cassie se sintió tan ofendida que los ojos se le llenaron de lágrimas. Siempre había sabido que no era una mujer tan bella y elegante como Chloe, pero no necesitaba que se lo recordaran.

—¿Qué te pasa, Cassie?

—Nada.

Cassie parpadeó y clavó la mirada en las plantas que estaban al fondo del local.

—Estás triste. ¿Es por algo que he dicho?

Ella lo miró a los ojos.

—Solo has dicho la verdad, nada más. Y tienes razón. Un hombre como Ryan no se fijaría nunca en una mujer como yo. Lo sé perfectamente, pero esa no es la cuestión.

—Entonces, ¿cuál es?

—Que deberías estar preocupado. Te debería importar que esté viviendo con Ryan. Deberías pensar que soy tan atractiva como para resultarle tentadora a otro hombre... pero es evidente que no lo piensas.

Joel se inclinó hacia delante y la tomó de la mano.

—Cassie, no digas eso. Para mí, eres la mujer más

especial del mundo; una mujer maravillosa, con la que me siento muy afortunado.

Ella no dijo nada.

—¿Estás enfadada conmigo?

Cassie sacudió la cabeza.

—Se está haciendo tarde —dijo—. Vámonos.

El trayecto en coche no pudo ser más silencioso. Joel le lanzaba una mirada de vez en cuando, como intentando descubrir si se le había pasado el berrinche. Una parte de Cassie se sentía culpable por haberse enfadado con él, pero otra parte lo encontraba más que justificado. Estaba muy confusa. Solo sabía que no le gustaba lo que sentía, y que quería que las cosas fueran diferentes.

Cuando llegaron a la mansión victoriana, él detuvo el vehículo y preguntó:

—¿Quieres que te acompañe a la puerta?

—No te molestes.

Él se inclinó y le dio un beso en la mejilla.

—Me he divertido esta noche, Cassie. Espero que nos veamos pronto —dijo—. Te echo mucho de menos.

Al oír que la echaba de menos, Cassie perdió la paciencia.

—¿Por qué no me lo has hecho nunca? —preguntó de repente.

—¿Hacer? ¿Hacer qué?

—¡El amor, Joel! —bramó—. ¿Por qué no te has acostado nunca conmigo? Nunca pasas de los besos. ¿Jamás has sentido el deseo de arrancarme la ropa y hacerme el amor aquí mismo, en el coche?

—Bueno, aquí no hay mucho sitio para...

—Da igual. Olvídalo.

Cassie intentó abrir la portezuela, pero él la detuvo.

—¿Qué ocurre? ¿Estás descontenta conmigo? ¿Te disgusta nuestra relación?

Ella sacudió la cabeza.

—No lo sé, la verdad.

—Pensé que esto es lo que querías. Acordamos que nos lo tomaríamos con paciencia, que iríamos poco a poco...

—Pero han pasado nueve años y ni siquiera me has tocado los pechos. ¿Tú crees que eso es normal?

Joel apartó la mirada y cerró las manos sobre el volante, tenso.

—Yo te respeto, Cassie. Pero... por supuesto que he pensado en esas cosas. Simplemente, pensé que tú querías... bueno, que querías esperar hasta que nos casáramos.

—Pues te equivocaste. Solo estaba esperando a que tú dieras el primer paso —declaró con vehemencia—. Por favor, Joel...

Él tragó saliva, nervioso.

—¿Por favor? ¿Por favor qué?

—Bésame con pasión. Por favor.

—Está bien...

Joel y Cassie se intentaron abrazar, pero la posición era difícil y, por si eso fuera poco, el freno de mano se interponía entre ellos. Al final, Cassie lo agarró de la parte delantera de la camisa y tiró de él.

—Bésame —insistió.

Joel se inclinó hacia ella y le plantó un beso en los labios. Cassie supuso que era el principio de algo más apasionado, así que entreabrió la boca y esperó unos segundos. Pero se quedó inmóvil como un pez muerto.

—¿Ya es suficiente? —preguntó Joel.

Ella se sintió inmensamente triste.

—Sí, gracias —mintió.

—Es mejor así. Es mejor que esperemos a la boda.

—Desde luego.

Cassie abrió la portezuela, se despidió de él y se dirigió a la entrada de la casa. Empezaba a pensar que había cometido un error al prestarse a una relación como esa; una relación sin pasión, sin fuego, sin todas esas cosas que leía en las novelas románticas, sin lo que Chloe y Arizona compartían.

Abrió la puerta y entró. La mansión estaba en silencio. Ryan había dejado encendida la luz de las escaleras y, mientras caminaba hacia ellas, suspiró.

Una vez más, se dijo que quizá no estaba hecha para la pasión; que la forma de amar de Joel y su propia forma de responder a ese amor eran todo a lo que podía aspirar. Pero, al llegar a su dormitorio, que estaba a oscuras, buscó en el fondo de su corazón y comprendió que la pasión era demasiado importante para ella. Merecía algo más que un matrimonio tan estable como aburrido. Y Joel también lo merecía.

Ryan bajó a desayunar. Por el camino, se repitió que Cassie no le interesaba y que, por supuesto, no se iba a interesar por su velada con Joel, salvo en términos perfectamente generales, de pura y simple educación. Al llegar a la cocina, miró a Sasha, miró a Cassie y se quedó asombrado con lo limpios que estaban el suelo, las encimeras y hasta la pila. Desde la llegada de la niñera, la casa había dejado de ser un desastre.

—¡Tío! —exclamó Sasha.

Ryan entró y sonrió a la pequeña.

—Hola, sobrina.

Cassie, que estaba de espaldas a él, se dio la vuelta.

—Buenos días... Si quieres café, lo acabo de preparar.

—Gracias.

Mientras él se servía una taza, la niña alzó la suya y dijo:

—¡Leche!

—¿Me está ofreciendo leche? —preguntó Ryan—. ¿O me la está pidiendo?

—Averígualo tú...

Ryan se acercó a su sobrina y aceptó su taza. Estaba vacía, así que se dirigió al frigorífico, sacó el cartón de leche y le echó un poco más. La niña sonrió de oreja a oreja cuando se la devolvió.

—¿Quieres comer algo? —preguntó Cassie—. Tenemos fruta y cereales; pero te puedo preparar unas crepes o unos huevos, si lo prefieres.

—No es necesario que me prepares la comida —le recordó.

—Lo sé. Técnicamente, no es responsabilidad mía. Pero tienes que comer algo... El desayuno es una de las comidas más importantes del día, y es importante que des ejemplo a Sasha. Si ve que no tomas nada, te imitará.

—Está bien. En ese caso, tomaré unos cereales con trocitos de plátano. Pero, a partir de mañana, me prepararé mi propio desayuno.

—Como quieras. Tú eres el jefe.

Cassie estaba preparando los cereales cuando Sasha ofreció la cuchara de su bol a Ryan. Por lo visto, quería que le diera de comer; así que decidió probar.

Sorprendentemente, Sasha abrió la boca sin ningún problema y se portó como un angelito hasta que Ryan le dio la última de las cucharadas. Entonces, dijo:

—¡Abajo!

Ryan miró a Cassie.

—Quiere bajar de la sillita —le informó.

—Si ya ha terminado de desayunar, que baje.

Ryan la levantó de la sillita con intención de dejarla en el suelo; pero, antes de que la pudiera soltar, Sasha le dio un beso en la mejilla.

—¡Tío Ryan! —dijo alegremente.

—Sí, sí, eso es cierto... soy tu tío —replicó él, desconcertado.

La niña soltó una risita y salió corriendo de la cocina.

—Creo que te has ganado su afecto —afirmó Cassie.

—Ganar una batalla no es ganar la guerra, pero admito que ha sido muy agradable.

Cassie le puso los cereales en la mesa. Ryan se sentó y ella hizo lo propio en la silla de enfrente.

—Gracias por prepararme el desayuno. Pero hablaba en serio. A partir de mañana, me lo prepararé yo.

Ya había empezado a desayunar cuando Sasha volvió a la cocina, le dio una pelota roja y se fue otra vez.

—Creo que quiere jugar a ese juego de darme cosas. Pero no tengo monedas...

—No te preocupes. Hay un puñado en la encimera.

Cassie se levantó, alcanzó las monedas y las dejó en la mesa antes de volverse a sentar.

—Es lo que me ha sobrado de la compra. No hay mucho, pero bastará para que esté contenta.

La luz de la mañana bañaba la cocina. Ryan miró a

Cassie y pensó que tenía un aspecto maravilloso. Llevaba los pendientes de siempre y una ropa tan informal como la suya, pero le pareció terriblemente sexy.

—¿Qué tal anoche? —le preguntó.

Ella apartó la mirada.

—Bien. Fuimos al cine y, después, a comer algo.

—¿Volviste muy tarde?

—No, en absoluto. Alrededor de las diez y media.

—Ah... Yo estaba leyendo en mi habitación, pero no te oí.

Cassie no dijo nada.

—¿Te divertiste? —continuó él.

Ella dudó un momento y dijo:

—Sí, claro.

—Supongo que tu relación con Joel es de lo más cómoda. Lo digo en el mejor de los sentidos, por supuesto. Os conocéis desde hace tantos años que...

—¿Podemos cambiar de conversación? —lo interrumpió.

—Por supuesto —dijo él—. Discúlpame, no pretendía ser un cotilla.

—No lo has sido. Es que tengo demasiadas cosas en la cabeza.

Las alarmas de Ryan se activaron al instante. ¿Habría discutido con su novio? ¿Habría pasado algo entre los dos? Antes de que se pudiera interesar al respecto, la niña reapareció con un vestidito entre las manos.

—*Rona* —dijo a su tío.

Ryan miró a Cassie.

—¿Qué significa eso?

—No tengo ni idea —contestó ella—. Enséñame lo que llevas, Sasha.

La niña se acercó y le enseñó el vestido.

—Ah, es tu vestido de Halloween... Sasha se va a disfrazar de princesa. ¿Verdad, Sasha?

—¡Sí! *¡Rona!*

Cassie frunció el ceño.

—¿Qué es eso, Sasha? No te entiendo...

—¡Princesa! *¡Rona!*

Ryan tuvo una corazonada en ese momento.

—Ah, ya sé lo que quiere. «*Rona*» es una corona. Quiere llevar una corona con el vestido.

Sasha se abalanzó sobre su tío y le soltó una pequeña conferencia absolutamente incomprensible sobre princesas, coronas y vestidos. Ryan se sintió como si le hubieran dado el premio Nobel a la inteligencia.

—No te preocupes. Te conseguiremos la corona más bonita que podamos encontrar —le prometió—. En el caso de que se puedan comprar, claro...

—Claro que sí —intervino Cassie—. Le compraré una cuando la lleve al colegio, en cualquier tienda. Son de cartón, perfectas para los niños.

—¿Cuándo es Halloween?

—El lunes que viene. Tendré que comprar dulces y caramelos.

Ryan se llevó una mano al bolsillo y sacó una tarjeta de crédito, que le ofreció.

—Usa mi tarjeta para cualquier cosa que necesites. Ya sabes, gastos de la casa y demás... ¿Sasha necesita ropa?

—Ahora mismo, no. Pero los niños de su edad pegan unos estirones sorprendentes. Cuando la necesite, te lo diré —Cassie miró a la niña, que se había puesto a jugar en el suelo—. Estás haciendo un gran trabajo con ella.

—Gracias. Tú tenías razón. Es importante que pase más tiempo con mi sobrina. Te agradezco que me lo dijeras.

—Solo estaba haciendo mi trabajo.

—No, fue más que eso. Se nota que Sasha te importa —afirmó—. Admito que la perspectiva me ponía nervioso, pero estoy decidido a intentarlo.

—En ese caso, estaría bien que acompañaras a Sasha en Halloween, cuando quiera salir a pedir dulces a los vecinos.

—De acuerdo, pero solo si nos acompañas.

—Faltaría más. Tengo una fiesta de disfraces en la universidad, a la que también asistirán Chloe y Arizona, pero habrá tiempo de sobra. Sasha se cansará enseguida y querrá volver a casa, así que no tardaremos mucho —dijo.

—Entonces, trato hecho.

Cassie miró el reloj de la cocina y declaró:

—Sasha, es hora de ir al colegio. Pero antes, tienes que guardar tus juguetes.

La niña se levantó y se marchó con sus juguetes. Mientras Cassie la seguía, él se dedicó a limpiar la mesa y llevar los platos a la pila, para lavarlos.

Minutos después, Cassie se asomó a la cocina.

—Nos vamos al colegio. Hasta luego.

—Hasta luego, Cassie —replicó él, muy serio.

—¿Te ocurre algo? Pareces preocupado...

—No, ni mucho menos. Solo estaba pensando que Joel tiene mucha suerte contigo.

Cassie lo miró de forma extraña, pero enseguida volvió a su sonrisa habitual.

—Gracias, Ryan. Se lo diré la próxima vez que lo vea.

Capítulo 6

CASSIE abrió la puerta a su hermana, que llevaba una bolsa gigantesca.

—No sé por qué pensé que la fiesta de disfraces era una buena idea —declaró Chloe entre risas—. Había olvidado el trabajo que dan... Gracias por ayudarme.

—De nada —Cassie cerró la puerta y la llevó a la cocina—. Si quieres, podemos trabajar aquí. Sasha se está echando la siesta. No se despertará hasta dentro de una hora u hora y media. Y para tener más tiempo, me he pasado por su habitación y le he dejado su muñeca preferida. Cuando se despierte y la vea, se pondrá a jugar con ella y tendremos media hora más.

—Muy astuta, Cassie. Me gustan las mujeres inteligentes —Chloe dejó la bolsa en la mesa—. Y ahora, si me puedes ayudar con este lío...

Chloe empezó a vaciar la bolsa y a buscar las piezas de tela que ya había cosido.

—¿Dónde está Ryan? No quiero que me vea con este barrigón... Se quedaría traumatizado para siempre.

—Tonterías. Estás preciosa —afirmó Cassie—. Además, Ryan no sería ningún problema. En cambio, tu marido es tan celoso que le daría un infarto.

Chloe ladeó la cabeza.

—Arizona no es celoso. Solo está atento a mí cuando salimos.

—Porque sabe que eres la mujer más bella del mundo y te desea con toda su alma.

Chloe sonrió.

—No sé si soy la mujer más bella del mundo, pero es obvio que le gusto.

—Un hombre inteligente.

—Sin duda.

Las dos hermanas rieron.

—¿Te apetece algo? ¿Un zumo? ¿Leche?

—Un vaso de leche estaría bien —Chloe se frotó el estómago—. No sabes lo pesado que es esto... A veces, me metería en la bañera con el ordenador portátil y no saldría en todo el día. Y se va a poner peor.

—Pero merece la pena.

—Claro.

Cassie miró a su hermana y pensó que nunca la había visto tan feliz. Además del embarazo y de su reciente matrimonio, estaba escribiendo un libro sobre los viajes de Arizona.

—¿Dónde está Ryan? ¿Trabajando? —preguntó Chloe.

—Sí, pero es dudoso que se presente en la cocina. De momento, estás a salvo.

—Excelente.

Chloe se desabrochó la camisa grande que se había puesto. Por debajo, solo llevaba un sostén deportivo y unos leotardos.

—No consigo hacer el disfraz —explicó—. Si me echas una mano y marcas las piezas con alfileres, me encargaré de coserlo a máquina cuando llegue a casa.

Cassie echó un vistazo al disfraz de su hermana. Se suponía que se tenían que vestir como personajes famosos de la historia de la literatura. Chloe había coqueteado con la posibilidad de que Arizona y ella se disfrazaran de Romeo y Julieta; pero su figura no era la más adecuada para hacer una buena Julieta y, en cuanto a su esposo, sabía que se negaría rotundamente a ponerse leotardos.

—Vais a ser el no va más de la fiesta —declaró Cassie—. Vuestra idea es muy original... El capitán Garfio y el cocodrilo.

—Bueno, me pareció una buena idea hasta que me di cuenta de lo difícil que iba a ser el disfraz de cocodrilo. Quiero que la parte delantera quede bastante suelta, para que no se note mucho mi embarazo. Pero no sé si se puede hacer.

—Por lo que veo, solo se trata de bajar un poco el bolsillo del estómago, descoser la costura central y añadir unos cuantos centímetros de tela amarilla.

Chloe sacudió la cabeza.

—Soy un desastre con estas cosas, pero a ti se te dan tan bien...

Cassie se encogió de hombros.

—Tenemos habilidades distintas, eso es todo.

Mientras ella trabajaba en el disfraz, Chloe se puso a hablar de su vida. Cassie la escuchó con mucha atención, porque se alegraba sinceramente de que su hermana fuera feliz; pero también sintió un poco de envidia.

—Arizona está encantado con los planes del año que viene. Tiene invitaciones de medio mundo; todos quieren escuchar sus conferencias —declaró Chloe en ese momento—. Además, el bebé habrá nacido para entonces y podré viajar con él.

—¿Adónde vais a ir?

—Todavía no lo sé. Tiene ofertas de dos universidades de Inglaterra, pero está considerando la posibilidad de dar unas conferencias en la Costa Este. De esa manera, el viaje no se nos haría tan largo al bebé y a mí. Viajaríamos a Washington o Nueva York, nos quedaríamos unos días y, después, tomaríamos un vuelo a Londres.

—Suena divertido.

—Eso espero —dijo—. Ya ha mencionado la posibilidad de que tengamos otro bebé, calculando la fecha del parto para tener el verano libre y poder viajar... Pero no sé por qué te cuento esas cosas. Seguro que te aburren.

Cassie dejó de trabajar y miró a Chloe.

—¿Aburrirme? Todo lo contrario. Eres mi hermana... Además, el hecho de que te hayas casado no significa que dejemos de ser amigas.

—Lo sé, pero a veces me siento como si yo hubiera tenido toda la suerte del mundo y tú...

—No te preocupes por eso. Recuerda que tú y yo no queremos las mismas cosas. Tú eres una periodista magnífica que siempre quiso viajar y que ahora tiene un marido maravilloso y perfectamente dispuesto a enseñarle el mundo. Eso me hace feliz. Pero mi camino es distinto, Chloe.

—Tienes razón... ¿Y sabes una cosa? Antes, no entendía que te gustara tanto tu trabajo con los niños; pero, desde que me quedé embarazada, lo entiendo de sobra —le confesó—. Has elegido una profesión verdaderamente importante. No sabes cuánto te admiro.

Cassie se sintió algo incómoda con el halago de Chloe.

—Cualquiera diría que soy una santa...

—No, no eres una santa. Solo eres una gran persona que presta atención a las cosas que merecen la pena. Solo lamento que...

Chloe no terminó la frase, pero Cassie conocía bien a su hermana y supo lo que había querido decir.

—¿Que siga con Joel?

Chloe respiró hondo.

—Me lo has explicado una y mil veces y sigo sin entenderlo. Sí, ya sé que Joel es agradable, honrado y muy trabajador, pero eso no es suficiente. Quiero que estés con un hombre que te entienda y que se sienta inmensamente afortunado por estar contigo; no con uno que solo te querrá para que le limpies la casa y le des hijos.

—No eres justa con Joel —protestó.

—¿Ah, no? Dime, Cassie... ¿Te hace reír? ¿Tu pulso se acelera cuando estás en una habitación y él aparece de repente? ¿Te imaginas viviendo con él hasta el fin de tus días? ¿Crees que, si le pasara algo, no podrías estar con nadie más?

Cassie dejó los alfileres en la mesa y se sentó.

—No lo sé —dijo tranquilamente—. Ya no lo sé. Me gustaría decir que sí, pero no puedo.

Chloe se sentó a su lado y le pasó un brazo por encima de los hombros.

—Lo siento. No pretendía entristecerte.

—No estoy triste; solo estoy confundida. Antes estaba tan segura... Pensaba que Joel era el hombre adecuado para mí, pero ya no lo tengo tan claro —Cassie miró a su hermana—. Es como si hubiera cambiado algo, y no sé si soy yo o las circunstancias.

—Comprendo.

—¿La pasión es real? ¿Es como en las películas y las novelas? —quiso saber—. ¿Es cierto que no hay nada más maravilloso?

—Lo es. Es absolutamente cierto.

Cassie asintió.

—Me lo temía.

—Si no estás segura, si no sabes si estás enamorada de Joel, no te cases —le aconsejó Chloe—. Sé que lleváis muchos años juntos, pero es mejor que esperes a saberlo. No cometas un error del que te arrepentirías más tarde. El matrimonio es muy difícil, incluso estando enamorada.

Cassie miró a Chloe.

—Gracias por tus consejos, Chloe. Eres la mejor hermana del mundo.

Chloe soltó una carcajada.

—Lo sé... Pero basta ya de tonterías emocionales. Tenemos que hacer un vestido.

—Eso es verdad.

—¿Cómo van las cosas entre Ryan y Sasha?

—Mucho mejor. Hablé con él y me hizo caso. Ahora pasa más tiempo con ella. Desayuna con nosotras y le lee cuentos cuando se acuesta. A decir verdad, estoy impresionada. Aprende muy deprisa; en parte, porque tiene un gran sentido del humor —respondió, sonriendo—. Es un hombre tan cariñoso, tan interesante... Ha conseguido que me sienta parte de su familia; ha logrado que...

Cassie se ruborizó al pensar lo que estaba diciendo. Intentó cambiar de conversación, pero Chloe se dio cuenta de lo que pasaba y dijo:

—¡Cassandra Bradley Wright! ¡Te has enamorado de ese hombre...! ¿Por qué no me lo habías dicho?

—No, no es eso...

—Entonces, ¿qué es? No me dirás que se está aprovechando de ti...

—Por supuesto que no —afirmó, tajante—. ¿Cómo podría? Para aprovecharse de mí, tendría que ser consciente de que soy una mujer. Pero creo que ni siquiera lo ha notado.

Chloe sacudió la cabeza.

—Lo dudo mucho. Eres muy guapa.

—Oh, vamos... Soy razonablemente inteligente y divertida, pero no soy una belleza. A decir verdad, no me extraña que Joel no se sienta celoso. Sabe tan bien como yo que un hombre como Ryan Lawford no se sentiría atraído por mí.

—¿Ah, no? ¿Por qué?

Cassie carraspeó.

—Bueno... Para empezar, es mucho mayor que yo.

—La edad carece de importancia. Además, no es tan mayor como insinúas... ¿Cuántos años te saca? ¿Cinco? ¿Seis?

—Casi nueve —puntualizó Cassie—. Y, por si eso fuera poco, él es un hombre de negocios con éxito y yo, una simple profesora de preescolar. No tenemos nada en común. No podríamos hablar de nada.

—Pero seguro que hablaréis de algo...

—Sí, de Sasha.

—Entonces, ya tenéis algo en común.

Cassie la miró con cara de pocos amigos.

—Me estás presionando porque quieres que abandone a Joel.

—¿Tan terrible sería? —replicó.

—Quizás...

Justo entonces, oyeron pasos en el corredor.

—Oh, Dios mío... No quiero que tu jefe me vea así... —dijo Chloe.

Cassie sonrió.

—¿Por qué no? Estás preciosa...

Ryan apareció en la entrada de la cocina.

—Lo siento, no quería interrumpir... —Ryan vio el disfraz y arqueó las cejas—. Vaya, no sabía que los habitantes de Bradley fuerais tan originales con la ropa.

Cassie se rio.

—Ryan, te presento a mi hermana, Chloe Wright. Chloe, te presento a Ryan Lawford.

Los dos se estrecharon la mano.

—Estoy en desventaja contigo —dijo Chloe con humor—. No suelo recibir a la gente en paños menores...

Chloe le habló brevemente sobre la fiesta de disfraces de la universidad y añadió:

—Nos decidimos por disfrazarnos de capitán Garfio y el cocodrilo para que mi embarazo no se notara tanto. No quería ser la Cleopatra embarazada de Marco Antonio, o la Escarlata O'Hara embarazada de Rhett Butler.

—Es una idea muy original. Mejor que una Campanilla embarazada... —bromeó Ryan.

Chloe rompió a reír.

—No habría estado tan mal, pero mi marido se niega a ponerse leotardos.

—Un hombre inteligente. No puedo decir que lo culpe.

Cassie empezó a coser la cola del disfraz, pero su hermana se lo impidió.

—No te molestes. Le pediré ayuda a la tía Charity y la coseremos entre las dos.

—¿Estás segura? No me importa trabajar un poco más...

—Completamente segura. Si tengo algún problema, te llamaré.

Chloe recogió sus cosas, se despidió de Ryan y se marchó. Al cabo de unos segundos, él miró a Cassie y dijo:

—No sabía que supieras coser.

—Cuando estaba en el instituto, me hacía mi propia ropa. Tenía dinero suficiente para comprar la que quisiera, pero no encontraba nada que me gustara —explicó, encogiéndose de hombros—. Las cosas del hogar se me dan bien. Sé cocinar, coser, cuidar de los niños, arreglar las cosas que se estropean y hasta preparar tartas.

—Me sorprendes... La mayoría de las mujeres que conozco solo se interesan por sus carreras. Y no es que me parezca mal, ni mucho menos. Pero me sorprende que tú sepas hacer tantas cosas —le confesó Ryan.

—Bueno, no es para tanto. Los tiempos cambian, sencillamente. Seguro que tu madre sabe coser y cocinar...

Él sacudió la cabeza.

—No, nunca tenía tiempo para esas cosas. Trabajaba todo el día, aunque no me quejo. Gracias a ella, John y yo aprendimos a trabajar duro y valernos por nosotros mismos. Pero no se puede decir que mi casa fuera muy divertida. Había poco dinero y demasiado que hacer.

—Bueno, ahora te puedes divertir con Sasha —dijo Cassie—. Los niños pequeños necesitan tanta atención como diversión... Y hablando de Sasha, me temo que está a punto de despertarse, si no se ha despertado ya. Meteré las galletas en el horno y subiré a su habitación.

Ryan se disponía a salir de la cocina cuando Cassie abrió el frigorífico y se inclinó para sacar la bandeja de galletas sin hacer que había dejado en el estante inferior. La imagen fue tan sugerente que no lo pudo evitar; clavó la mirada en sus caderas y deseó acercarse por detrás y pegarse a ella.

Cuando Cassie se incorporó y se dio cuenta de que la estaba mirando fijamente, preguntó:

—¿Estás bien, Ryan?

Él carraspeó.

—Sí, sí, claro... En fin, será mejor que vuelva al despacho.

Ryan se marchó a toda prisa, con la esperanza de que Cassie no hubiera notado el bulto de sus pantalones, prueba más que inequívoca de lo que había estado pensando. En ese momento, se sentía el hombre más miserable del mundo. No se creía con derecho a desear a la niñera de su sobrina, pero le gustaba tanto que no lo lamentaba en absoluto. Cassie Wright conseguía que se sintiera vivo.

—¡Ese! —exclamó Sasha, señalando un caramelo—. ¡Y ese también!

Ryan alcanzó los dos caramelos y los metió en una bolsita de plástico, decorada con calabazas sonrientes. Estaba ayudando a Cassie a preparar la fiesta de Halloween que se iba a celebrar en el colegio de la pequeña.

—Esta niña es una tirana —se quejó.

—La culpa es tuya por prometerle que podía elegir lo que quisiera —le recordó Cassie.

—Sí, ya lo sé, pero... ¿Cuántas bolsitas necesitamos?

Cassie contó las bolsas que ya habían llenado.

—Tenemos dieciocho y necesitamos veinticuatro... —le informó—. ¿Nos ayudas, Sasha?

Sasha asintió con firmeza.

—¡A trabajar!

Ryan soltó una carcajada.

—Sí, señora —replicó—. Dios mío, creo que la estoy malcriando... Si sigue así, querrá conquistar el mundo.

—Será cosa de los genes —se burló Cassie—. Algo típico de los Lawford.

—¿Crees que yo soy un dictador?

—Bueno, te he oído alguna vez cuando hablas por teléfono con tus empleados. Disfrutas dando órdenes. Lo lleváis en la sangre.

—¿Has oído, Sasha? Dice que somos unos mandones... Qué tontería, ¿verdad?

—¡Verdad! —exclamó la niña.

Todo siguió bien hasta que Ryan empezó a pensar en lo mucho que le gustaba estar con Cassie y su sobrina. Se sintió tan incómodo que, al cabo de unos momentos, dijo que tenía mucho trabajo y se fue. A Cassie le pareció raro, pero siguió preparando galletas y llenando bolsas de caramelos hasta que se dio cuenta de que era la hora de bañar a Sasha.

—Bueno, ya está bien de trabajar. Te daré un baño, te acostaré y te leeré un cuento.

Cuando Sasha se quedó dormida, Cassie salió del dormitorio de la pequeña y se dirigió al despacho de Ryan. Él estaba de pie, junto a la ventana, mirando el jardín.

—Siento haberme ido de una forma tan brusca, Cassie —se disculpó.

—No te preocupes... ¿Qué ha pasado?

—Nada importante. ¿Qué tal está Sasha?

—Bien, durmiendo. Pero ¿qué ha pasado? —insistió.

—Nada, olvídalo.

Ella respiró hondo.

—No lo voy a olvidar, así que será mejor que me lo digas.

Él se dio la vuelta y la miró.

—No sabía que fueras tan obstinada...

—Pues ya lo sabes.

Ryan asintió y la invitó a tomar asiento. Ella aceptó y él se acomodó en su sillón.

—Te va a parecer una estupidez —le informó.

—Lo dudo, pero te escucharé atentamente de todas formas.

Él se echó hacia atrás y clavó la mirada en el techo.

—Es por Sasha. A veces, cuando la miro, me recuerda mucho a mi hermano.

—Es lógico. Era su hija.

—Lo sé, pero mi relación con ellos era tan distante que no había asumido la información, por así decirlo...

Vivían a menos de cuatrocientos kilómetros, pero yo estaba tan ocupado que no los veía nunca. Y ahora es demasiado tarde.

Chloe asintió.

—Lo siento mucho, Ryan.

—Gracias. Me gustaría que las cosas hubieran sido diferentes.

Cassie admiró su cara durante unos momentos. La luz del despacho, bastante dura, enfatizaba su tristeza.

—Aún tienes a Sasha —observó.

—Sí, tengo a Sasha. Sigo creyendo que mi hermano se equivocó al dejármela a mí, pero me alegra que no se la dejara a otra persona. Es todo lo que me queda de él.

—Eso no es verdad, Ryan. Tienes el recuerdo de todas las cosas que hicisteis juntos. Un recuerdo que llevarás siempre contigo.

Él se inclinó sobre la mesa. Parecía más relajado.

—No lo había pensado así, pero tienes razón —Ryan sonrió con debilidad—. Gracias, Cassie. Eres muy perceptiva.

Cassie se dijo que había llegado el momento de marcharse, así que le dio las buenas noches y se fue. Tras cerrar la puerta del despacho, se apoyó en la pared del pasillo y se recordó lo que intentaba recordarse tantas veces: que solo se había encaprichado de él, que no era nada importante, que se le pasaría pronto.

Pero ahora, después de haber contemplado su tristeza y de haber sentido su dolor, no estaba tan segura de que fuera un simple encaprichamiento. Parecía más. Mucho más.

Capítulo 7

VENGA, sonríe un poco —dijo Ryan mientras enfocaba a Sasha.

Sasha obedeció y le ofreció la mejor de sus sonrisas.

—Buena chica. Eres una princesa preciosa.

Sasha giró sobre sí misma y, a continuación, se sentó en el suelo con su vestidito de color rosa.

—¡Princesa! ¡*Yo princesa*!

—Sí, eres una princesa... —Cassie se acercó a ella y le colocó bien la corona—. Eres la princesa más bonita de toda la noche de Halloween. Pero mira a tu tío... De lo contrario, no te podrá hacer más fotografías.

En lugar de mirar a su tío, Sasha se empeñó en que Cassie la tomara en brazos, cosa que hizo. Al verlas juntas, Ryan sacó tres fotografías rápidas con la cámara, intentando no pensar en sus motivos. A fin de cuentas, ¿por qué quería fotos de la niñera? Pero, a decir verdad, Cassie se había convertido en algo más que la niñera de su sobrina; durante los días anteriores, se había convertido en una amiga.

Ryan se dijo que lo estaba volviendo loco. No llevaba nunca perfume, pero su aroma natural se bastaba y se sobraba para que quisiera tenerla cerca. Muchas veces, cuando estaba trabajando, empezaba a pensar en Cassie y perdía la concentración. Cuantos más esfuerzos hacía por expulsarla de su mente, más firmemente se asentaba en ella.

Además, no se engañaba a sí mismo. Si solo hubiera sido una cara o un cuerpo bonito, la habría olvidado con facilidad; pero era mucho más que eso y, para empeorar las cosas, ni siquiera intentaba llamar su atención. De hecho, lo trataba como si él fuera una especie de familiar lejano, con el respeto que se dedicaba a las personas mayores. Obviamente, su diferencia de edad le importaba mucho. Aunque solo fueran nueve años.

Sacó un par de fotografías más y se dijo que no tenía sentido que fantaseara con ella. Era contraproducente. Solo conseguiría sentirse frustrado y solo.

—¿Dónde está tu calabaza? —preguntó Cassie a la niña, tras dejarla en el suelo—. No la veo por ninguna parte...

—¿Calabaza? —dijo la niña.

—Sí, la calabaza de plástico que te compró el tío Ryan para que salgas con ella a la calle y pidas caramelos a los vecinos —explicó—. Es muy grande...

—¡Ah! ¡*Yo sé*!

La niña salió corriendo de la cocina.

—Juraría que nunca la he visto andando —declaró Ryan—. Siempre va corriendo a todas partes.

—Porque tiene exceso de energía. Es una pena que no nos pueda prestar un poco por las mañanas... Trabajaríamos mucho más y mucho mejor.

—Una idea interesante —observó él.

Ryan se volvió a concentrar en ella. Cassie llevaba unos vaqueros negros y un jersey de muchos colores, además de sus pendientes de costumbre.

—Estás muy guapa... —dijo.

Cassie se ruborizó.

—Gracias. Me he puesto algo cálido porque esta noche va a hacer frío. Sé que Sasha no querría llevar un abrigo con el disfraz, así que le he puesto dos camisetas de manga larga y unos leotardos por debajo... Al final, el vestido le quedaba más apretado, pero es una princesa perfecta de todas formas.

Cassie no lo miró a los ojos mientras hablaba. Ryan se dio cuenta de que él la ponía nerviosa, y lo encontró tan sorprendente como halagador. Hasta pensó que quizás no era tan inmune a sus encantos como había imaginado. Pero, justo entonces, ella se echó un mechón por detrás de la oreja y él volvió a ver su anillo de compromiso.

Ryan se dijo que no tenía ninguna opción. Se iba a casar con otro hombre, y él no tenía derecho a inmiscuirse.

—No hace falta que nos acompañes esta noche, Cassie. Hace días que no sales de Joel, y supongo que querrás verlo.

Ella sacudió la cabeza.

—No podría quedar con él aunque quisiera. Su empresa ha organizado una fiesta para los hijos de los empleados y, como Joel está a cargo de todo, no se puede ir. Además, me apetece ir contigo y con Sasha.

Será su segundo Halloween, pero el año pasado era muy pequeña y estoy segura de que no se acuerda.

—Bueno, si estás tan segura...

—Lo estoy.

Sasha volvió en ese momento a la cocina, con una sonrisa triunfante. Había encontrado la calabaza de plástico.

—¡Encontrada! —dijo—. ¡Arriba, tío!

Ryan se inclinó sobre ella, la alzó en vilo y se la apoyó en el brazo con un movimiento tan rápido como seguro.

—¿Ya estás preparada, pequeña? —le preguntó.

Sasha asintió.

—*¡Yo princesa!*

—Está bien, no te volveré a llamar «pequeña». A partir de ahora, te trataré con el respeto que se merece un miembro de la aristocracia... ¿Ya está preparada, Alteza?

La niña rompió a reír y, justo entonces, llamaron a la puerta. Eran Arizona y Chloe, que llegaban disfrazados de cocodrilo y capitán Garfio.

Mientras Cassie saludaba a su hermana y a su cuñado, Ryan llevó a Sasha al vestíbulo de la mansión y le dijo:

—Ya conoces a Chloe, ¿verdad? Es la hermana de Cassie. Y el hombre que está con ella es su marido... Seguro que se sentirán honrados de conocer a una princesa de verdad. Sobre todo, a una tan guapa como tú.

Sasha lanzó una mirada a los recién llegados, pero después hundió la cabeza en el hombro de su tío.

—Vaya, hoy le ha dado por ponerse tímida —dijo Cassie.

—Con la pinta que tengo, no me extraña en absoluto. La pobrecilla se habrá asustado... —intervino Chloe con humor—. Pensé que disfrazarme de cocodrilo sería una buena idea porque disimularía el embarazo, pero ya no estoy tan segura. Parezco un cocodrilo que se ha atiborrado a comer durante el fin de semana.

—Estás tan preciosa como siempre —afirmó su esposo, que se giró hacia Ryan—. Hola, soy Arizona Smith. Me han hablado mucho de ti...

Ryan le estrechó la mano.

—Llevas un disfraz magnífico, Arizona...

—Sí, no está mal, pero he dejado el garfio en el coche porque no quería asustar a Sasha. Pero me temo que se ha asustado de todas formas —Arizona se acercó a la pequeña y la acarició—. Lo siento, Sasha. Los adultos somos criaturas extrañas. Tendrás que acostumbrarte a eso.

La niña alzó la cabeza un poco. Arizona le guiñó un ojo y la pequeña se empezó a relajar.

—Eres una princesa muy guapa... —continuó.

Sasha se limitó a asentir, como queriendo decir que ya lo sabía y que no era nuevo para ella. Cassie y Chloe rieron.

—Gracias por acompañarnos —dijo Cassie cuando se tranquilizó—. No tardaremos mucho. Seguro que Sasha se cansa pronto. Tendremos tiempo de sobra para llegar a la fiesta.

Ryan echó un vistazo al reloj y dijo:

—Si os tenéis que ir pronto, lo entenderé. Se está haciendo tarde...

—La fiesta de la universidad no empieza hasta dentro de una hora, y durará toda la noche —le explicó Chloe—. Además, la experiencia nos será muy útil. Arizona y yo estamos a punto de ser padres, y podremos practicar para los años venideros.

—Cierto. Muy cierto —dijo su esposo.

—En ese caso, pongámonos en marcha —declaró Cassie—. Ah, no... esperad un momento... Sasha se ha dejado la calabaza en la cocina. Vuelvo enseguida.

Cassie se marchó en compañía de la niña, y Arizona aprovechó para preguntar a Ryan:

—¿Qué te parece Bradley?

—Bueno, no la conozco muy bien; pero me parece una gran ciudad.

Ryan se dio cuenta de que Arizona Smith no estaba particularmente interesado en su opinión sobre la localidad donde vivían. Le había preguntado eso para romper el hielo y empezar a conocerlo mejor; a fin de cuentas, su cuñada estaba viviendo con él en la misma casa. Así que decidió ponérselo fácil.

—Solo siento que mi estancia se deba a un acontecimiento tan triste como la muerte de mi hermano —siguió hablando—. No sé qué habría hecho sin la ayuda de Cassie. Es una persona maravillosa, y cuida muy bien de mi sobrina. Siento un gran respeto por ella.

—Sí, es una mujer muy especial —dijo Arizona, mirándolo a los ojos.

—Desde luego que lo es. Y tiene suerte de que su familia viva tan cerca. Si pasara algo, contaría con el apoyo de sus seres queridos.

—Así es, Ryan —dijo Arizona.

Cassie y Sasha volvieron en ese momento.

—Ya estamos preparadas. ¿De qué estabais hablando?

—De nada importante —dijo Ryan—. Vámonos.

Durante la hora siguiente, se dedicaron a cumplir con la tradición de Halloween. Los niños llamaban a la casa de algún vecino y le ofrecían «truco o trato»; tras lo cual, el vecino les daba dulces o caramelos. Por supuesto, Sasha era demasiado pequeña para pronunciar bien lo de «truco o trato», pero daba las gracias cada vez que alguien le metía un dulce en la cestita que le habían dado.

Todo fue bien hasta llegar a una casa donde se celebraba una fiesta. Ninguno notó que la entrada estaba decorada como en una película de terror. Sasha llamó, la puerta se abrió y aparecieron dos adolescentes con máscaras de monstruos. Al verlos, la niña se asustó tanto que retrocedió a toda prisa y cayó al suelo.

El suceso no tuvo consecuencias graves. Los adolescentes se disculparon por haberla asustado sin querer y ellos siguieron su camino. Sin embargo, Cassie se sentía culpable.

—Lo siento mucho, Ryan. He visto las telas de araña y las velas que decoraban la puerta, pero no se me ha ocurrido que fuera una fiesta de disfraces de monstruos. Tendría que haber estado más atenta.

—No ha sido culpa tuya, Cassie. Además, ya se le ha pasado el susto... ¿Verdad, princesa?

La niña asintió y dijo:

—¡Chicos malos!

Ryan sacudió la cabeza.

—No, no son chicos malos, solo se están divirtiendo. Siento que te hayas llevado un susto. Pero ahora estás a salvo y no permitiremos que te pase nada.

Por fin, volvieron a la casa y se despidieron de Chloe y de Arizona, que se marcharon a la fiesta de la universidad. Apenas habían pasado un par de minutos cuando alguien llamó a la puerta. Eran niños que pedían caramelos de casa en casa; pero la niña no se había recuperado todavía del susto y, al verlos con los disfraces, se echó a llorar.

—¿Por qué no la llevas a la cama? —preguntó Cassie—. Yo me encargaré de abrir la puerta y atender a los niños. Sospecho que van a llamar más veces.

—¿Que la lleve a la cama? ¿Yo? —dijo él, espantado—. No sé si...

—No te preocupes, ni siquiera tienes que bañarla. De hecho, le he cepillado los dientes antes de salir y, como no ha comido nada desde entonces, tampoco es necesario que se los cepille otra vez. Solo tienes que ponerle un pijama, acostarla y leerle un cuento. Tiene aspecto de estar cansada, así que se dormirá enseguida.

Ryan estuvo a punto de decir que no se sentía capaz de afrontar esa situación, pero asintió y llevó a la pequeña a su dormitorio. Solo tardó un par de minutos en quitarle la ropa y ponerle su pijama rosa. Después, la acostó y se acercó a la estantería para elegir un cuento que le pudiera leer.

—¿Tío Ryan?

Él apartó la vista de los libros. La niña tenía lágrimas en los ojos.

—*No me gutan los mostros*.

—Lo sé, cariño.

Ryan se sentó en el borde la cama y la abrazó.

—Yo te protegeré —siguió diciendo—. Te prometo que, esta noche, inspeccionaré hasta el último rincón de la casa para asegurarme de que no haya ningún monstruo. No te preocupes. No te pasará nada. Conmigo estás a salvo.

Ryan no podía saber si Sasha lo había entendido. Al principio, pensó que la había tranquilizado porque la niña se había quedado en silencio; pero se dio cuenta de que estaba callada porque las lágrimas le impedían hablar.

Angustiado, la acunó suavemente. Ella siguió llorando hasta que, en determinado momento, dijo en voz baja:

—Mamá...

A Ryan se le encogió el corazón.

—Lo sé —susurró—. Sé que la echas mucho de menos, y también sé que yo soy un pobre sustituto de tus padres. Ojalá te pudiera ofrecer más, pero no es posible. Soy como soy, y te confieso que, a veces, me das miedo. Pero no me voy a ir a ninguna parte. Me voy a quedar contigo. Entre los dos, conseguiremos que todo salga bien.

Al cabo de unos minutos, Sasha se quedó dormida. Ryan la volvió a tumbar y la arropó con suma delicadeza.

Después, se quedó sentado en la oscuridad. Se sentía terriblemente impotente.

Capítulo 8

HABÍA pasado media hora desde que el último grupo de niños llamó a la puerta para pedir caramelos. Cassie estaba en el salón, preguntándose qué diablos estaría haciendo Ryan. Llevaba tanto tiempo arriba que consideró la posibilidad de que hubiera acostado a Sasha y se hubiera ido al despacho. No podía saber que seguía con su sobrina.

Se acercó a una ventana y miró la calle. Le pareció más oscura que antes. Luego, como no sabía qué hacer, se sentó en un sofá; pero estaba tan inquieta que se levantó prácticamente de inmediato.

Parte de su inquietud se debía a Sasha. Se suponía que la noche de Halloween iba a ser una fiesta para ella, pero la pobre niña se había llevado un buen susto. Era demasiado pequeña para entender que los chicos de las máscaras solo se estaban divirtiendo. Pero se dijo que lo olvidaría pronto.

Afortunadamente, Ryan había estado a la altura y se había hecho responsable de ella en un momento de necesidad. Poco a poco, con altibajos, se estaba convirtiendo en un padre para la pequeña.

En ese sentido, no podía estar más contenta. Si Ryan asumía su papel, carecería de importancia que se quedara en Bradley o se llevara a Sasha a San José, como teóricamente pretendía. Pero el vínculo que se había establecido entre tío y sobrina le resultaba al mismo tiempo doloroso, porque se empezaba a sentir fuera de lugar.

Apoyó la cabeza en el frío cristal de la ventana y pensó que solo estaba pasando lo que tenía que pasar; pero, lejos de sentirse mejor, lo encontró deprimente.

Ryan y Sasha empezaban a ser una familia. Gracias a ella, habían superado su desconfianza inicial y habían establecido la relación que los dos necesitaban. Pero, entonces, ¿dónde estaba el problema? ¿Por qué estaba tan triste?

Cassie se dio cuenta de que su tristeza no tenía nada que ver con las necesidades de la pequeña Sasha. Estaba triste por Ryan Lawford, por un hombre que trabajaba en exceso y que, de vez en cuando, podía ser de lo más irritante; pero también por un hombre cariñoso, paciente y desinteresado, un hombre que la volvía loca.

Como en tantas ocasiones, se repitió que solo se había encaprichado de él y que sus sentimientos no tenían ninguna base real. Aún lo estaba pensando cuando oyó pasos en la escalera. Cassie se dio la vuelta y miró a Ryan.

Parecía deprimido.

—¿Se ha dormido Sasha? ¿Qué tal está? —se interesó.

Ryan la miró con pesadumbre.

—Al principio estaba muy preocupada por los monstruos. Le he dicho que yo la protegería, pero no estoy seguro de que me haya entendido. Y luego...

—¿Luego?

A Ryan se le quebró la voz.

—Ha preguntado por su madre.

—Oh, vaya...

—¿Qué voy a hacer, Cassie? —preguntó con desesperación—. No le puedo devolver a su madre. No puedo hacer nada al respecto.

—Es cierto, no se la puedes devolver. Nadie puede —dijo—. Pero solo tienes que estar a su lado cuando lo necesite.

Él se encogió de hombros.

—Sí, es posible. La he abrazado, la he acunado un rato y he dejado que llorara contra mi pecho. No me había sentido tan impotente en toda mi vida.

—Has hecho lo correcto. Le has dado lo que necesitaba.

—Si tú lo dices... Pero tengo la sensación de que me estoy equivocando con ella, de que no hago lo que tengo que hacer.

Cassie estuvo a punto de acercarse y darle un abrazo; pero supuso que rechazaría su afecto, así que mantuvo las distancias.

—Al contrario. Lo estás haciendo muy bien. Además, no hay libro de instrucciones en estos casos... Hacemos lo que podemos, nada más. Sasha es demasiado pequeña para entender lo que le ha pasado a sus padres. Solo sabe que los ha perdido. Cuando está contenta, lo olvida; cuando está triste, se acuerda de ellos y se pone a llorar. Pero eso no significa que estés haciendo algo mal, Ryan.

—Eso espero.

Él se sentó en el sofá. Después, alcanzó uno de los dulces que estaban en la mesita y dijo:

—¿Te apetece?

—Claro.

Cassie lo aceptó y se sentó en un sillón, frente a él.

Ryan quitó el envoltorio a una chocolatina y se la llevó a la boca, cabizbajo.

—No sabía que sería así. Me refiero a Sasha, por supuesto. Cuando descubrí que John y Helen me habían nombrado su tutor, me sentí muy frustrado. No sabía que fuera una responsabilidad tan grande.

—Es un desafío, desde luego. Pero un desafío que merece la pena.

Él alzó la cabeza y la miró a los ojos.

—Eso tampoco lo sabía. Sasha es como un virus precioso. Al principio no lo notas y, luego, cuando te quieres dar cuenta, se ha extendido por todo tu ser —Ryan sonrió de repente—. Bueno, no estoy seguro de que sea una buena metáfora, pero es verdad... Antes, la dejaba en tus manos porque me sentía inseguro y no quería asumir mi responsabilidad. Ahora, en cambio, no puedo estar sin ella.

Ryan alcanzó otro dulce y se lo ofreció a Cassie, que esta vez sacudió la cabeza.

—Hace un rato, estaba pensando en mi hermano —siguió diciendo—. John tenía diez años más que yo y, por si eso fuera poco, éramos de padres distintos. Pero nunca tuvo la menor importancia, ¿sabes? Nos queríamos de todas formas... Lamentablemente, mi madre tenía tan mal gusto con los hombres que nuestros padres ni siquiera se molestaron en estar presentes cuando nos dio a luz

Ryan lo dijo sin amargura, como si no tuviera importancia; pero, por la tensión de su cuerpo, Cassie supo que era muy importante para él.

—Nuestra madre trabajaba todo el día. Siempre nos animaba a pelear, a luchar por lo que queríamos. John se hizo médico... Mi madre estaba muy orgullosa de él, y yo también lo estaba. Se tuvo que esforzar mucho para terminar la carrera, pero lo consiguió.

Cassie no dijo nada. Sabía que Ryan necesitaba hablar, así que guardó silencio.

—Hace cinco años, me llamó por teléfono para decirme que había conocido a Helen y que se iba a casar con ella. A mí me sorprendió un poco. Somos una familia de trabajadores, que nunca ha dado demasiada importancia a las relaciones afectivas... Se lo comenté a John y me dijo que eso daba igual, que se había enamorado y que, además de querer que Helen fuera su esposa, también quería tener hijos. Me dejó helado.

—¿Por qué? ¿Nunca has querido tener una familia?

Ryan se encogió de hombros.

—No, supongo que no. No le veía el sentido. Además, he salido con unas cuantas mujeres, pero con ninguna que me interesara lo suficiente.

—Comprendo...

—Me dijo que quería sentar la cabeza —continuó Ryan—. Recuerdo que yo lo escuchaba sin poder creer lo que me estaba diciendo. Por aquella época, mi empresa empezaba a tener éxito y yo trabajaba dieciocho horas al día... ¿Quién tenía tiempo para las relaciones amorosas? No lo pude entender. Pensé que se estaba rindiendo.

Él respiró hondo y dejó de hablar. Cassie lo observó con detenimiento. A veces no sabía lo que Ryan estaba pensando, pero ahora lo sabía muy bien.

—Empiezas a entender lo que te quiso decir...

Ryan asintió.

—Lo que más recuerdo de mi madre es lo mucho que trabajaba. Fue pobre casi toda su vida, así que no tenía más remedio que trabajar muy duro; pero, durante los últimos años, se pudo relajar un poco y no lo hizo. Tenía dos hijos que le enviaban dinero y todo lo que pudiera necesitar. Cuando murió, descubrimos que no había usado nada de lo que le habíamos enviado. No había tocado el dinero, y nuestros regalos seguían en las cajas.

—¿Por qué lo haría?

—Lo desconozco. Puede que, tras tantos años de esfuerzos, olvidara que la vida es algo más que el trabajo. Pero no lo sé, la verdad. Solo sé que murió demasiado joven, rodeada de cosas maravillosas que ni siquiera disfrutó. Ojalá que...

—¿Qué? —preguntó ella.

—Nada, iba a decir que debería haber pasado más tiempo con John. Helen y él me invitaban de vez en cuando a su casa, a pasar un fin de semana o unos días de vacaciones, pero siempre estaba demasiado ocupado. Además, no me parecía tan importante. Pensaba que teníamos todo el tiempo del mundo.

—Y no lo teníais.

—No, no lo teníamos.

Ryan se giró hacia la ventana.

—Halloween ya ha terminado, y se está haciendo tarde —dijo—. Te deberías ir a la cama.

Ella asintió en silencio.

—Aunque, por otra parte —continuó él—, puede que te apetezca tomar una copa conmigo.

Cassie abrió la boca para decir que no le parecía una buena idea. Ryan le gustaba demasiado. Pero le apetecía tanto que se convenció de que una copa no le podía hacer ningún mal, así que dijo:

—Sería un placer.

Él se levantó y se dirigió a su despacho.

—Creo que tengo una botella de brandy en uno de los armarios.

Cassie lo siguió, repitiéndose para sus adentros que solo iba a ser una copa, que no era importante, que eso no significaba que Ryan se hubiera fijado en ella. Sin embargo, ardía en deseos de estar en un error.

Al llegar al despacho, él abrió las puertas correderas que daban a la salita donde estaba el mueble bar. Ella entró y se sentó en un sofá azul.

Ryan sirvió dos copas y le dio una.

—No lo he probado, pero John tenía muy buen gusto en materia de bebidas —declaró—. Seguro que te gustará.

Ryan se sentó en el extremo opuesto del sofá y ella tomó un sorbito de brandy.

—¿Y bien? ¿Qué te parece?

Cassie sonrió.

—Está muy bueno.

Cassie echó otro trago. Intentaba comportarse como si estuviera acostumbrada a beber. Él dejó su copa sobre la mesita y dijo:

—Hay un asunto del que te quería hablar. Pero no encontraba el momento.

Cassie sintió pánico. ¿Le querría decir que estaba insatisfecho con su trabajo? O, peor aún, ¿habría notado que se había encaprichado de él?

—¿De qué se trata?

—De tu novio.

—¿De Joel? —preguntó, perpleja.

Ryan se giró hacia ella y se apoyó en el reposabrazos.

—No lo ves muy a menudo. Me preocupa que tu trabajo esté interfiriendo en tu relación.

—Bueno...

—Agradezco lo que estás haciendo con Sasha. Es obvio que la adoras y que el sentimiento es mutuo, pero no me gustaría que tu vida amorosa se resintiera por eso —Ryan sonrió con inseguridad—. No sé, quizás me estoy metiendo donde no me llaman... De ser así, te pido disculpas. Es la primera vez que mantengo una conversación de este carácter con uno de mis empleados.

Cassie se quedó confundida. Por una parte, le agradaba que estuviera preocupado por su relación con Joel; por otra, le molestaba que estuviera preocupado por su relación con Joel. ¿Es que tampoco era capaz de sentir celos? ¿O, simplemente, un poco de envidia? Fuera como fuera, sus palabras parecían indicar que, en lo tocante a él, ella era una simple empleada.

Como no le podía decir lo que estaba pensando, comentó:

—Agradezco mucho tu preocupación, Ryan, pero no es necesaria. Veo a Joel con tanta frecuencia como quiero.

Él frunció el ceño.

—Si solo habéis salido un par de veces desde que empezaste a trabajar para mí...

—Lo sé. Pero nunca nos vemos más.

—¿No? ¿Llevas nueve años con él y os veis tan poco?

—No nos sentimos en la necesidad de estar juntos todo el tiempo —declaró, sintiéndose vagamente atacada—. Nos va bien así.

—Si os aburrís antes de estar casados, imagina cómo será después.

Ryan lo dijo con humor, pero ella no lo encontró nada divertido. A fin de cuentas, acababa de expresar un hecho que Cassie no se atrevía a afrontar.

Durante unos minutos, no hicieron nada salvo beber. Ryan se dijo que era tarde y que sería mejor que pusiera fin a la velada, pero no le apetecía. Le gustaba estar con ella. Lograba que se sintiera vivo. No se parecía a ninguna de las mujeres con las que había estado.

Sin darse cuenta, la miró con intensidad. La luz de la salita arrancaba destellos a su cabello castaño.

—¿Por qué me miras así? ¿Tengo algo en la cara?

—Oh, lo siento —se disculpó él—. No, no tienes nada. Es que estaba pensando en ti. No te pareces a ninguna de las personas que he conocido.

Ella arrugó la nariz.

—Sí, bueno... siempre he sido un ratón de campo, y siempre lo seré.

Él sacudió la cabeza.

—Mi comentario pretendía ser un halago, no una crítica —puntualizó—. Has elegido una forma muy respetable de vida, aunque sabes perfectamente que no te sacará de pobre.

Cassie se encogió de hombros.

—Sí, lo sé, pero el dinero no me importa. Soy una chica sencilla, sin más ambiciones que hacer lo que me gusta. Además, tampoco se puede decir que mi situación sea desesperada. Mis padres me dejaron una pequeña herencia... No es suficiente para vivir como una millonaria, pero me bastaría para salir adelante si me quedara sin empleo.

Cassie echó otro trago de brandy y siguió hablando.

—Siempre supe que quería trabajar con niños. Adoro su entusiasmo y su energía. Pero, de vez en cuando, me gustaría parecerme un poco más a mi hermana. Ella tiene una carrera.

—Tú también la tienes —le recordó.

—No es exactamente lo mismo. Mi hermana quería viajar por el mundo y yo, quedarme en Bradley. Luego, Chloe conoció a Arizona y decidió quedarse aquí, pero fue algo circunstancial... y bastante irónico, por otra parte.

—¿Irónico? ¿A qué te refieres?

—A que soy yo quien se interesa por la genealogía y la historia de nuestra familia y de la propia ciudad. Pero ella es la verdadera Bradley. Yo soy adoptada.

Ryan asintió.

—Creo que entiendo lo que quieres decir. John y yo crecimos en una serie de pisos pequeños. Habríamos dado cualquier cosa por tener una casa propia; una casa que hubiera pertenecido a la familia durante varias generaciones.

Ella sonrió.

—Yo he tenido más suerte en ese sentido. Nuestra madre nos contaba muchas historias sobre la fundación de la ciudad y la vida de nuestras antepasadas. Han pasado casi diez años desde que murió, pero aún la echo de menos... Supongo que esa es una de las razones por las que me llevo tan bien con Sasha. Comprendo perfectamente su situación.

—Es lo bueno y lo malo de ser mayor cuando pierdes a un ser querido —observó él—. Te acuerdas de los buenos tiempos, pero la pérdida es más dolorosa. En cambio, Sasha no tendrá recuerdos de sus padres.

—Perder a un ser querido es malo en cualquier caso. Y si pierdes a tus dos padres, es aún más duro —dijo ella.

—Eso es verdad.

—A veces pienso que lo peor de la muerte de mis padres fue lo que pasó después. Chloe y yo terminamos en casas distintas. Estuvimos separadas tres años. La tía Charity era nuestra tutora legal, pero las autoridades no la encontraban por ninguna parte... Yo me quedé en Bradley y a ella se la llevaron a otra ciudad. No sé qué habría sido de mí sin Joel.

—¿Sin Joel?

Esta vez fue ella quien asintió.

—Estudiábamos en el mismo instituto. Al principio, solo éramos amigos; pero luego empezamos a salir... Y por favor, ahórrame el discurso sobre mi relación con Joel. Mi hermana me lo ha repetido mil veces.

Ryan sintió curiosidad.

—¿Ah, sí? ¿Y qué opina tu hermana?

—Que sigo con él porque la situación me resulta cómoda. Que me ayudó en un momento crucial para mí y que me empeño en convertir mi sentimiento de lealtad en otra cosa —contestó—. Cree que cometería un error si me casara con Joel.

—¿Y qué crees tú?

Ella suspiró.

—Ya no lo sé... Nos conocemos desde hace tantos años que ya no hay sorpresas entre nosotros, pero eso no es malo necesariamente. Nos llevamos bien, nos respetamos el uno al otro, nos sentimos cómodos. Pero a veces me falta la fantasía.

—¿La fantasía? ¿Qué fantasía?

—Si te lo digo, te vas a reír.

—No me reiré.

Ella apartó la mirada, nerviosa. Él insistió.

—Te prometo que no me reiré. ¿Qué es eso de la fantasía?

Cassie respiró hondo.

—Las Bradley tienen una leyenda. Una historia relativa a un camisón mágico.

—¿Un qué? —preguntó, desconcertado.

Cassie le contó brevemente la leyenda del camisón. Él escuchó en silencio y, cuando ya había terminado, dijo:

—No sé qué decir. Nunca había oído una historia parecida.

—Sé que suena disparatado, pero el camisón existe. Si quieres, te lo puedo enseñar.

—No, no es necesario. Te creo.

—Bueno, al menos has cumplido tu palabra...

—¿Mi palabra?

—Sí. No te has reído.

—¿Y por qué me iba a reír? El hecho de que mi familia no tenga una leyenda no significa que desprecie la vuestra. Pero ¿crees en ella de verdad?

—Quiero creer que es verdad —puntualizó—. Quiero ponerme el camisón durante la noche de mi vigésimo quinto cumpleaños y soñar con el hombre de mi vida... Además, Chloe se lo puso y soñó con Arizona. Se conocieron al día siguiente y, si aquello no fue amor a primera vista, no sé qué otra cosa fue. Pero tengo miedo de que no pase nada.

—¿Por qué?

—Porque no soy una Bradley. Te recuerdo que me adoptaron... La tía Charity dice que es suficiente con formar parte de la familia, pero yo no estoy tan segura.

Ryan quiso decir que todo saldría bien, que soñaría con el hombre de sus sueños, que tendría lo que deseaba; pero, obviamente, habría sido hablar por hablar.

—¿Qué piensa Joel al respecto? —se interesó.

Ella se terminó el coñac y dejó la copa vacía en la mesita.

—Bueno, no le da mucha importancia. Cree que voy a soñar con él, pero a veces me gustaría que...

—Que se preocupara un poco más por ti. Que te prestara más atención.

—Sí, en efecto.

—Y también te gustaría soñar con otra persona.

Cassie se quedó completamente sorprendida.

—¿Cómo lo sabes? —acertó a decir.

—Bueno, yo...

—No, prefiero que no me digas lo que estás pensando —lo interrumpió—. Sé que es algo terrible por mi parte. Me siento como si fuera una traidora, la peor persona del mundo.

Él se acercó a Cassie y le puso una mano en el brazo.

—No digas eso, por favor. Eres una persona maravillosa. Además, soñar no tiene nada de malo... Tú misma has dicho que Joel y tú habéis esperado tanto tiempo porque queríais tener la seguridad de que estáis hechos el uno para el otro. ¿Y cómo lo vas a saber si no sopesas otras posibilidades?

—Dicho así...

—Por otra parte, nadie podría decir que tu comportamiento sea desleal. Llevas nueve años con él. No has salido con otros hombres. No has hecho nada malo.

Ella sonrió.

—Gracias. Eres muy amable.

Ryan se dijo que, si Cassie hubiera sido consciente de lo mucho que la deseaba, no habría sido tan encantadora con él. Pero no quería pensar en esos términos. Cassie era una empleada suya, nada más.

—¿Has estado casado alguna vez? —preguntó ella.

—No.

—¿Y enamorado de alguien?

Ryan tardó unos segundos en contestar.

—Nunca he tenido tiempo. Estaba demasiado ocupado con mi trabajo. No tenía margen para una relación.

—Pero eso tendrá que cambiar ahora...

—¿Cambiar? ¿Crees que es mejor que me case?

—No, no me refería a eso. No estoy sugiriendo que te cases por el bien de Sasha. Solo quería decir que te necesita y que tendrás que hacerle un hueco en tu vida.

—Lo sé.

Ryan no necesitaba que se lo recordara. Todo estaba cambiando; lo podía sentir. Tenía la sensación de que, en algún momento, sin que él se diera cuenta, su vida había dado un giro inesperado.

—¿Y tú, Cassie? ¿Qué vas a hacer? ¿Casarte con tu novio? Sinceramente, me extraña que se haya prestado a esperar tanto tiempo. Si yo fuera él, estaría tan preocupado por ese camisón mágico que te tomaría en brazos y te llevaría al altar.

—Joel no es de los que toman en brazos a nadie...

Cassie lo dijo como si no tuviera la menor importancia, pero Ryan supo leer entre líneas. No se quería poner aquel camisón porque fuera una leyenda de las Bradley, sino porque ardía en deseos de conocer el amor que Joel no le sabía dar.

Ryan sabía que no tenía derecho a hacer conjeturas sobre su vida privada; pero, si le hubieran preguntado, habría dicho que Chloe estaba en lo cierto. Joel no era hombre para ella. Simplemente, no la merecía.

—No sé, Cassie... Llevas muchos años con Joel, y erais muy jóvenes cuando empezasteis a salir. Deberías explorar el mundo antes de casarte.

—¿El mundo? No te refieres al mundo —replicó ella—. Me estás diciendo que mantenga relaciones con otros hombres.

—Te estoy diciendo que el matrimonio es un asunto muy serio. Tienes que estar segura antes de dar ese paso.

Ella se levantó del sofá y caminó hasta la ventana. La luz de la salita se reflejaba en los cristales como en un espejo.

—Soy consciente de ello, Ryan. A veces estoy completamente segura, y otras... Quiero mucho a Joel, pero no sé qué clase de querencia es la nuestra. Me gusta, lo respeto y me siento bien cuando estoy a su lado, pero tengo miedo de quererlo como se quiere a un hermano, no como se quiere a un amante —le confesó—. Lo que nos sobra de conversaciones, nos falta de pasión. No me debería importar, pero me importa.

Cassie respiró hondo y añadió:

—Pero la vida es algo más que pasión, ¿no? Ni siquiera sé si tengo derecho a querer algo más; si tengo derecho a quererlo todo.

Ryan se levantó y caminó hacia ella. Sus miradas se encontraron en el reflejo del cristal.

—Todo el mundo merece todo.

Ella se dio la vuelta.

—Me gustaría creerte, Ryan.

—Pues créeme. Joel es tu amigo, y es lógico que lo quieras y lo respetes. Pero, si no estás segura, no te cases con él.

Estaban tan cerca el uno del otro que Ryan podía sentir el calor de su cuerpo. Cassie no llevaba más que unos simples vaqueros y un jersey; pero, por algún motivo, le pareció más sexy que nunca.

Tuvo que hacer un esfuerzo para recordarse que él no le gustaba, que lo encontraba demasiado mayor para ella, que Cassie era una de sus empleadas. Tuvo que hacer un esfuerzo porque, si no lo hubiera hecho, la habría besado allí mismo.

—No estoy segura —susurró ella.

Las palabras de Cassie lo desequilibraron por completo. Si no estaba segura, él podía tener alguna oportunidad.

—Cassie, yo...

Ryan no terminó la frase, pero su voz sonó algo extraña. Cassie lo miró a los ojos. No sabía lo que había querido decir. Solo sabía que se había hechizado con aquellos ojos verdes, que no podía pensar, que no se podía mover, que estaba como a la espera de que ocurriera algo maravilloso.

—Te deberías ir a la cama —dijo Ryan.

—Sí, debería —replicó, inmóvil.

—Lo digo en serio, Cassie. Si te quedas ahí, voy a...

—¿A qué?

Ryan le puso una mano en la cintura y la acercó tanto a él que sus piernas se rozaban. Cassie se excitó al instante. Sus pechos se hincharon y sus piernas temblaron levemente. Sin darse cuenta de lo que hacía, alzó las manos y se las puso en los brazos.

—Ryan...

Él bajó la cabeza un poco y dijo:

—Si no quieres que te bese, dímelo.

Ryan no dijo nada más. Esperó un momento y, a continuación, la besó.

Al principio, fue un beso dulce, apenas un contacto cauteloso. Los pezones de Cassie se endurecieron, y se sintió tan húmeda entre las piernas que pensó que se estaba derritiendo. Pero no era suficiente. Quería más. Necesitaba más.

—Cassie... —dijo él en voz baja.

—No pares, por favor.

Él gimió y le introdujo la lengua en la boca. Cassie se dejó llevar y se sumó a sus caricias del mismo modo, explorándolo, dando y recibiendo placer. De hecho, se sumó de un modo tan activo que tuvo miedo de estar siendo demasiado agresiva; pero su miedo se disipó cuando Ryan se apretó contra su cuerpo y ella notó la dureza de su erección.

Jamás había sentido nada parecido. En todos los años que llevaba con Joel, nunca había sentido su erección. Pero tampoco la había abrazado de ese modo. Ni la había besado de ese modo.

Momentos después, él rompió el contacto.

—Ryan...

—Lo sé —dijo—. Yo siento lo mismo.

Para Cassie, fue una revelación. Por fin había vivido lo que tantos poemas y canciones narraban. Ahora, todo tenía sentido. Durante los años anteriores, se había llegado a convencer de que la pasión no era más que un cuento de hadas, de que no existía en realidad.

Pero existía.

Desgraciadamente, pensó que no tenía derecho a experimentar la pasión con Ryan Lawford. Así que se apartó de él, dio media vuelta y salió de la habitación.

Capítulo 9

RYAN se apoyó en el marco de la ventana y cerró los ojos.

Aún sentía el contacto de su lengua y del calor de su cuerpo. Ya no le importaba si estaba haciendo bien o estaba haciendo mal. Solo sabía que deseaba a Cassie, y que la intensidad de aquel deseo era completamente nueva para él.

El sonido de sus pasos se apagó en la distancia. Una puerta se cerró en el piso de arriba y, a continuación, se hizo el silencio.

Cuando recobró el control de sus emociones, Ryan se dio cuenta de que Cassie había huido de él y se odió con todas sus fuerzas. ¿En qué diablos había estado pensando? Volvió al despacho, se sentó y llegó a la conclusión de que, en realidad, no había estado pensando; se había limitado a sentir.

Él, Ryan Lawford, un hombre que se jactaba de ju-

gar siempre limpio, había perdido el control con una
jovencita que ni siquiera sabía en qué consistía el juego. Se había cegado con una mujer que no sabía nada
del amor.

El sentimiento de culpabilidad lo abrumó por completo. Nunca, en toda su vida, había coqueteado con
una de sus empleadas; y, por supuesto, nunca había
besado a ninguna. Pero el hecho de que fuera la primera vez no hacía que se sintiera mejor. Al fin y al
cabo, Cassie no era una empleada corriente. Además
de trabajar para él, trabajaba en su casa. Estaba a su
merced. Y le había faltado al respeto.

¿Qué había pasado? ¿Por qué había perdido el control precisamente con ella? Pensó que ni siquiera era
de su tipo de mujeres, aunque a decir verdad no tenía
preferencias especiales en materia de mujeres. Era demasiado joven, demasiado inexperta, demasiado inocente.

Apoyó la cabeza en el respaldo del sillón y se dijo
que todo aquello carecía de importancia. Daba igual
si era experta o inexperta, si era demasiado joven o
no lo era y, desde luego, si estaba o no comprometida
con otro hombre. La deseaba. No lo podía negar. La
había deseado desde el principio. Le parecía inteligente, divertida, encantadora. Se entusiasmaba cada
vez que la veía y cada vez que pensaba en ella.

Algo le estaba pasando. Ya no era el hombre que
había llegado a Bradley para organizar el entierro de
su hermano y hacerse cargo de sus propiedades. Desde entonces, se había convertido en un padre para Sasha y en algo bien diferente para Cassie.

Pero Cassie no era adecuada para él. Incluso des-
contando el hecho de que se había comprometido con

otro hombre, estaba llena de ensoñaciones románticas sobre las relaciones amorosas. Y él no estaba buscando una relación seria ni, mucho menos, el matrimonio.

Solo podía hacer una cosa: hablar con ella, disculparse y prometerle que no la volvería a tocar. Ya no podía cambiar lo sucedido, pero podía rescindir su contrato y devolverle su libertad, para que volviera a su vida anterior.

Sin embargo, la idea de perder a Cassie le resultó físicamente dolorosa y, por otra parte, no estaba preparado para cuidar de Sasha sin ayuda.

Pensándolo bien, sería mejor que se limitara a pedirle disculpas. Hablaría con ella por la mañana e intentaría convencerla de que estaba a salvo con él. Después, fingiría que no la deseaba y haría un esfuerzo por no pensar en ella. Volvería a ser el hombre frío y distante que había sido. Volvería a la oscuridad, por muy difícil que le resultara.

Los primeros haces de luz se filtraron por las cortinas de la habitación. Cassie se giró hacia la ventana y se dedicó a contemplar el amanecer. Había estado despierta casi toda la noche, pensando en el beso.

Como acto, no podía ser más trivial. Millones y millones de personas se besaban todos los días. Ella misma había besado a su hermana, a sus difuntos padres, a su tía Charity y, naturalmente, a Joel. Pero ninguno de esos besos se había parecido al beso de Ryan. Había sido una experiencia tan intensa que casi le sorprendía que no le hubiera dejado marca. Había sido una experiencia tan arrebatadora que la había revivido una y otra vez a lo largo de la noche.

Por fin había entendido lo que sentían los amantes.

Lamentablemente, aquel momento había sido algo más que una revelación; también había sido una traición. ¿De qué otro modo se podía definir lo que había hecho? Por mucho que Ryan Lawford le gustara, estaba comprometida con Joel. Le debía lealtad, pero había traicionado su confianza.

Cerró los ojos con fuerza. En algún momento, Ryan había dejado de ser una ensoñación y se había convertido en un ser real. Ya no era el desconocido del principio, sino un hombre que se había ganado su afecto, su respeto y su deseo; un hombre que, además, la había tomado entre sus brazos y había cambiado su vida con un simple beso.

Incluso en ese momento, por encima de su sentimiento de culpabilidad, su cuerpo se empeñaba en recordarle lo vivido. Cuando pensaba en él, se excitaba. Notaba la humedad entre las piernas y la tensión en sus senos.

No sabía lo que estaba pasando, pero le gustaba mucho.

Abrió los ojos y miró la habitación de invitados, consciente de que su situación era insostenible. Aquel beso lo había cambiado todo; ahora sabía que no podía seguir adelante con Joel, que debía romper su compromiso. Pero eso no significaba que se engañara a sí misma con Ryan. Eran demasiado diferentes. Él era un hombre de mundo, un hombre refinado y ambicioso; ella, una simple profesora que quería vivir en Bradley y tener hijos.

Respiró hondo e intentó refrenar su tristeza. Por mucho que le doliera, Ryan estaba fuera de su alcance. No podía hacer nada, salvo mantener las distancias y comportarse como si aquel beso no hubiera sido lo que había sido, una revelación, un acto que había cambiado su vida para siempre.

Ryan salió de la ducha, se afeitó y se vistió con rapidez. Aún tenía el pelo mojado cuando salió del dormitorio y se dirigió a la escalera. Quería hablar con Cassie antes de que la niña se despertara.

Pero Sasha ya estaba en su sillita, tomándose un zumo de naranja, cuando Ryan llegó a la cocina.

—Hola, tío... *¡Yo princesa!*

Ryan sonrió.

—Sí, eres toda una princesa.

Todo parecía normal. Cassie estaba preparando el desayuno de la pequeña. El sol entraba por la ventana y se reflejaba en algunas superficies. El olor del café llenaba la habitación. Era como si no hubiera pasado nada.

—Lo siento, he intentado convencerla de que se pusiera otra cosa, pero se ha empeñado en llevar el vestido de anoche —declaró Cassie.

Ryan la miró. Su sonrisa era tan clara como sus ojos y su expresión, tan agradable como de costumbre. Pero ya no era suficiente. Ardía en deseos de tomarla entre sus brazos y besarla con pasión.

—Ah, bueno... No te preocupes.

—Siéntate. He pensado que estarías cansado de cereales, así que te estoy preparando unas crepes —declaró ella.

—Gracias.

—*¡Yo hambre!* —exclamó Sasha, golpeando la sillita con su cuchara.

—Sí, ya sé que tienes hambre —dijo Cassie—, pero me lo puedes decir sin golpear la sillita con la cuchara.

Sasha frunció el ceño y alzó al cuchara para insistir. Cassie sacudió la cabeza.

—Basta ya, Sasha.

La niña la miró con cara de pocos amigos, pero obedeció.

—Muy bien, princesa. Tus cereales estarán dentro de un momento.

Mientras Cassie servía los cereales a la niña, Ryan se sirvió una taza de café. Tenía intención de mantener las distancias con ella, pero le gustaba tanto que no se pudo resistir a la tentación de acercarse.

—¿Te ayudo con las crepes?

Cassie sacudió la cabeza.

—No, gracias. No es necesario.

Ryan asintió y dijo en voz baja, para que Sasha no lo pudiera oír:

—¿Te encuentras bien?

—Claro que sí. ¿Por qué lo preguntas?

—Cassie, tú puedes ser muchas cosas, pero no eres ninguna ingenua. Sabes perfectamente por qué lo pregunto.

—Estoy bien, Ryan.

—¿Seguro?

Cassie suspiró.

—¿Quieres que te diga la verdad?

—Por supuesto.

—Muy bien, como quieras... Lo de anoche fue maravilloso. Uno de los mejores besos que me han dado nunca —declaró sin más—. Pero eso es todo. No va a cambiar el mundo ni va a reescribir la historia de la humanidad.

Ryan se quedó tan sorprendido que no pudo decir nada.

—Nos besamos —continuó ella—. No sé cómo llegamos a eso; no sé qué ocurrió para que una relación puramente amistosa nos llevara a un beso apasionado, pero supongo que esas cosas pasan. A fin de cuentas, somos adultos y vivimos bajo el mismo techo.

—Sí, bueno... Te aseguro que no es algo que yo suela hacer.

—Ni yo —replicó con una sonrisa—. Aunque, siendo una profesora de preescolar, no tengo tantas oportunidades como tú.

—Entonces, ¿no estás enfadada?

—En absoluto.

Ella dio la vuelta a las crepes en la sartén.

—Pero soy realista, Ryan —siguió hablando—. Con excepción de Sasha, tú y yo no tenemos nada en común. Nos dejamos llevar por el calor del momento. Si lo piensas bien, te darás cuenta de que no tiene importancia.

—Tenemos muchas cosas en común, Cassie. Nos llevamos muy bien. Nos gustan los mismos libros, disfrutamos de las mismas películas y mantenemos conversaciones de lo más interesantes...

—Sí, supongo que eso es verdad.

—Y los dos somos inteligentes.

—Y divertidos —añadió ella—. Pero ¿adónde pretendes llegar?

—Bueno...

—Ryan, somos de mundos muy distintos. Un hombre como tú no se interesaría nunca por una mujer como yo.

—No digas tonterías. Eso no es cierto.

—Por supuesto que lo es.

Él carraspeó. Las cosas no estaban saliendo como había imaginado.

—No lo estoy diciendo porque tenga segundas intenciones, Cassie —le aseguró—. Me limito a mostrar mi desacuerdo. No somos tan distintos como dices, ni creo que esas diferencias sean significativas.

—Bueno es saberlo...

Ryan notó el brillo de sus ojos y supo que se estaba burlando de él.

—De todas formas, quiero que sepas que estás a salvo conmigo —continuó—. Eres mi empleada y trabajas en mi casa. Te prometo que, a partir de ahora, no volveré a comprometer tu posición ni a faltarte al respeto.

—Gracias, Ryan, pero no es necesario que te pongas tan serio. Solo fue un beso. No es para tanto.

La despreocupación aparente de Cassie le resultó tan irritante que deseó ponerle las manos en los brazos y sacudirla. O, mejor aún, besarla.

Pero no hizo ni lo uno ni lo otro.

—Bueno, insisto en que estás a salvo conmigo.

—Lo sé.

Él apretó los dientes.

—Magnífico. Me alegra que nos entendamos.

—Nos entendemos de sobra, Ryan. Olvida el asunto, por favor.

Ryan estaba absolutamente perplejo. Tenía la sensación de que había perdido el control de la situación. ¿Qué demonios había pasado? ¿Por qué no le alegraban sus palabras? Se suponía que era lo que quería oír.

—Las crepes ya están preparadas —anunció ella—. Siéntate a la mesa.

Ryan obedeció y ella le sirvió el desayuno.

—Esta tarde tengo que salir a hacer un par de cosas —siguió Cassie—. Pero no te preocupes; he hablado con mi tía Charity y se ha comprometido a cuidar de Sasha hasta que vuelva. Espero que no te moleste.

—No, claro que no. Tómate el tiempo que necesites.

Sasha llamó entonces a Cassie y Ryan se quedó solo, pensando que se había perdido algo importante. Todo había salido como esperaba. Pero, entonces, ¿por qué tenía la impresión de que todo había salido mal?

Capítulo 10

CASSIE se sentó en el pequeño restaurante del centro comercial donde Joel trabajaba. Estaba tan nerviosa que tuvo que hacer un esfuerzo para no mirar el reloj otra vez. A fin de cuentas, lo había mirado unos segundos antes, y la hora no habría cambiado.

Desde donde estaba, podía ver el centro comercial. Ella habría preferido quedar en otra parte, en un lugar más íntimo; pero, cuando lo llamó por teléfono, Joel le dijo que estaba muy ocupado y que solo le podía conceder unos minutos. No le había dejado más opción que ir al centro o dejar la conversación para otro día, de modo que optó por lo primero.

Alcanzó el refresco que había pedido y, mientras bebía, se preguntó qué le iba decir. Había practicado varias frases durante el trayecto en coche, pero todas le parecían estúpidas. No había forma fácil de decirlo.

Tendría que decirle la verdad, sin subterfugios de ninguna clase. Se la diría de la forma más amable posible, pero se la diría.

Momentos después, oyó pasos y vio que Joel se acercaba a la mesa. Se había puesto unos pantalones grises, una camisa de color azul pálido y una corbata oscura. Llevaba una carpeta en la mano y parecía lo que era, un director adjunto con prisas y mucho trabajo.

—Hola, Cassie... —Joel se sentó al otro lado de la mesa—. Siento llegar tarde. Hemos tenido un problema en los almacenes.

—Descuida, no tiene importancia; acabo de llegar —Cassie respiró hondo—. Joel... Necesito hablar contigo.

—Te escucho.

A pesar de su afirmación, Joel clavó la mirada en la carpeta, como si estuviera más interesado en su contenido que en las palabras de su novia. Cassie lo encontró tan molesto que se la apartó y dijo:

—Esto es importante, Joel.

—Está bien... Te escucho —repitió.

—Yo... Yo...

—¿Sí?

Cassie suspiró y dijo de corrido:

—Ni siquiera me has tocado. No me has dado ni un simple beso en la mejilla.

Joel entrecerró sus ojos azules.

—¿De eso se trata? ¿Vamos a hablar otra vez de sentimientos? Mira, estaría encantado de hablar contigo, pero ahora no puedo. Estoy en mitad de mi jornada laboral. Estamos en mi centro de trabajo. No te puedo dar un beso delante de los empleados —declaró—. Si eso te molesta, lo siento mucho.

Ella hizo un esfuerzo por sonreír.

—Tienes razón; este no es momento ni lugar para hablar de sentimientos, y tampoco espero que me beses en tu centro de trabajo. Pero ni siquiera me has tocado.

—Cassie...

—Descuida, no estoy enfadada contigo. Me limito a constatar un hecho. Ya no nos tocamos. Hace mucho que no nos tocamos.

Él suspiró y abrió la boca como para decir algo.

—No —lo interrumpió ella—. No digas nada. Prefiero que escuches.

—Como quieras.

Ella respiró hondo. Había dado muchas vueltas al asunto y seguía sin encontrar una forma fácil de decirlo. Sería mejor que se lo presentara de la forma más directa posible, sin andarse por las ramas.

—Trabajar con Ryan se ha convertido en un problema. No es culpa suya, sino mía. Me ha empezado a gustar... Por supuesto, solo es un capricho. ¿Qué otra cosa podría ser? Apenas lo conozco. Pero siento algo por él.

—¿Eso es todo?

Cassie lo miró a los ojos.

—¿Qué quieres decir con eso? ¿Es que no te parece suficiente? ¿Llevamos nueve años juntos, te enteras de que siento algo por otro hombre y no tienes nada más que decir?

—Creo que le estás dando demasiada importancia. Es lógico que te hayas encaprichado de Ryan Lawford. Cualquier jovencita se encapricharía de él si estuviera en tu posición. Es refinado, caballeroso y mayor que tú, además de ser un hombre con éxito. Si no te hubieras fijado en él, me preocuparía... —Joel le dedicó una sonrisa cálida—. Si solo se trata de eso, te estás preocupando por nada.

Cassie se quedó atónita.

—No te importo —dijo—. No te importo en absoluto...

—Por supuesto que me importas; pero no me preocupa lo que sientas ahora por Ryan. En cuanto salga de tu vida, lo olvidarás.

Ella sacudió la cabeza.

—Hay algo más, Joel.

—¿Algo más?

—Nos besamos.

Joel la miró en silencio.

—Solo una vez —añadió—. Pero fue un beso largo, que valió por muchos.

Joel no se inmutó. No parecía enfadado, no parecía incómodo; cualquiera habría dicho que su confesión le importaba menos que su problema con el almacén del centro comercial.

—No fue como los besos que nos damos tú y yo, Joel. Me sentí... Me sentí como no me había sentido nunca. Lo deseé apasionadamente.

Cassie se detuvo, sorprendida por sus propias palabras.

—Oh, lo siento... No pretendía hacerte daño.

—Dios mío, *Cass*.

Joel echó un vistazo a su reloj de muñeca. Cassie parpadeó, incapaz de entenderlo. ¿Le había confesado que deseaba a otro hombre y se dedicaba a mirar la hora?

—¿Es que no me has entendido, Joel? Lo deseaba. Quería acostarme con él.

—No me sorprende —declaró con toda tranquilidad—. De hecho, era inevitable. Pero, ahora que ha sucedido, podemos olvidar el asunto y seguir adelante.

Cassie se quedó boquiabierta.

—¿De qué estás hablando?

—Cuando empezamos a salir, solo tenías dieciséis años.

—Soy consciente de ello.

—Y yo tenía diecisiete.

—Sí, ¿pero eso qué tiene que ver?

—Yo había salido con otras chicas, pero tú no habías salido con nadie.

—Joel... ¿No entiendes lo que te estoy diciendo?

Joel volvió a sonreír.

—Por supuesto que lo entiendo. Yo he pasado por ahí. Cuando salía con esas chicas y las besaba... En fin, ya sabes —Joel se ruborizó—. El caso es que yo tengo experiencia. Sé algo del mundo. Y me agrada que hayas tenido ocasión de vivir lo mismo que yo... En cuanto superes el encaprichamiento, todo volverá a ser como era.

—Me temo que es algo más que un encaprichamiento.

—Sí, sé que ahora te lo parece, pero no te preocupes... Lo superarás —afirmó—. Lo superarás y podremos seguir con nuestras vidas.

—Pero...

Joel la tomó de la mano.

—Te quiero, Cassie. Eres la única mujer con la que deseo estar, y puedes estar segura de que sigo confiando en ti. ¿No es eso lo que importa?

Cassie miró su cara y sus labios con tristeza. A pesar de todo, Joel era un gran hombre; un hombre sensible y comprensivo, dispuesto siempre a perdonar.

—No es tan fácil. No quiero seguir con la vida que teníamos. Ya no es suficiente. Tengo que romper la promesa que te hice.

Cassie apartó la mano y se sacó el anillo de compromiso.

—¿Qué estás haciendo?

—Lo que ves. Lo siento.

Ella le ofreció el anillo y él lo aceptó.

—Espero que seas consciente del error que estás cometiendo, Cassie. Puede que tú lo quieras, pero dudo que él sienta lo mismo por ti.

—¿Y crees que no lo sé? Solo fue un beso, nada más que un beso —dijo—. No significa nada para él.

—Entonces, ¿a qué viene esto? ¿Por qué rompes nuestra relación?

—Porque no se trata de Ryan, sino de ti y de mí. Ahora conozco la pasión. Sé lo que se siente cuando deseas a otra persona con todo tu ser —Cassie respiró hondo—. Puede que me esté condenando a la infelicidad; puede que esté pidiendo la luna y las estrellas, y que eso sea pedir demasiado... Pero sé que quiero tener otra vez esa sensación. Quiero que forme parte de mi vida.

—¿Tan importante es para ti?

Ella asintió.

—Sí.

Joel clavó la mirada en el anillo.

—En ese caso, podríamos... No sé, podríamos dejar de esperar y acostarnos, si quieres.

Los ojos de Cassie se llenaron de lágrimas.

—Te agradezco el ofrecimiento, pero es demasiado

tarde. Llevamos nueve años juntos y no hemos pasado de las caricias. Es obvio que tú y yo no estamos hechos para ser amantes —dijo—. Lo siento, Joel. Eres un hombre maravilloso y te quiero mucho; pero no te quiero como una mujer debería querer a su amante. Es mejor que nos dejemos de ver.

—¿Así como así? ¿Después de nueve años?

—Así como así, Joel. Es lo que quiero. Y creo que, si lo piensas con detenimiento, descubrirás que también es lo que tú quieres.

Joel se guardó el anillo en el bolsillo.

—Está bien. Si necesitas tiempo, te lo concederé —dijo—. Suspenderemos nuestra relación durante unas semanas. Tengo el convencimiento de que, cuando reflexiones sobre lo sucedido, cambiarás de opinión.

Cassie no supo si reír o llorar. Estaba triste, enfadada y frustrada.

—No necesito tiempo. Quiero que esto termine y quiero que termine sin recriminaciones ni sentimientos de culpabilidad. Quiero que encuentres a otra mujer y que conozcas la pasión que te has negado. Sé que cambiará tu vida para siempre, como ha cambiado la mía.

Ella se levantó e intentó sonreír.

—Adiós, Joel. Buena suerte.

Cassie dio media vuelta y se alejó.

Una hora después de que Cassie se marchara, llamaron a la puerta. Ryan estaba trabajando, pero apartó la mirada de la pantalla del ordenador y dijo:

—Adelante.

La mujer que entró en el despacho era de la altura de Cassie. Delgada, elegante y de cabello oscuro, parecía tener cincuenta y tantos años, pero era muy atractiva.

Ryan se levantó y le ofreció una mano.

—Usted debe de ser Charity, la tía de Cassie.

—En efecto. Solo he venido a saludar. Bueno, y a traerle un café.

Charity cruzó el despacho y le dio una taza. Al ver que llevaba otra, Ryan supuso que esperaba una invitación para sentarse.

—Tome asiento, por favor.

—Gracias.

Charity se sentó al otro lado y dejó su café sobre la mesa.

—¿Sasha está dormida?

Charity se cruzó de piernas.

—Sí, aunque me ha costado que se durmiera. He cometido el error de permitir que jugara un rato en el jardín, y se ha entusiasmado tanto que no se quería ir a la cama... Se nota que no tengo hijos ni estoy acostumbrada a cuidar de niños pequeños. Cassie y Chloe eran mayores cuando me marché a vivir con ellas.

—Tengo entendido que es tía suya por parte de padre...

—En efecto. No tengo nada que ver con la fundación de la ciudad —declaró—. Supongo que Cassie se lo habrá dicho... la ciudad se llama así porque la fundaron los Bradley.

—Sí, ya lo sabía.

—Me cuesta creer que se puedan tener raíces tan antiguas... Siempre he sido una viajera. Llevo más tiempo en Bradley que en cualquier otro lugar de los que he conocido. Llegué hace algo más de ocho años, cuando las chicas eran dos adolescentes. Qué rápido pasa el tiempo, ¿verdad? Ocho años. Quien lo iba a decir.

—Es que Bradley tiene algo. Yo llegué con intención de estar un mes, pero puede que me quede más tiempo.

Los ojos marrones de Charity se iluminaron.

—¿En serio? Bradley tiene mucho que ofrecer...

Ryan se preguntó si se estaba refiriendo a la ciudad o a su sobrina. ¿Le habría contado Cassie lo de la noche anterior?

—Vine a cuidar de las chicas en cuanto me enteré de la muerte de mi hermano —continuó ella—. Por desgracia, me encontraba en Oriente y el abogado de la familia no me encontró hasta tres años después de su fallecimiento. Jamás imaginé que me quedaría a vivir en una ciudad tan pequeña, ni que estaría a cargo de dos jovencitas... Pero, poco a poco, me conquistaron. Cuanto más tiempo pasa, menos extraño mi vida de aventuras.

Ella sonrió y siguió hablando.

—Al principio, me quede para estar con ellas hasta que se fueran a la universidad. Luego, me busqué otras excusas... Ahora estoy aquí porque quiero estar presente en el parto de Chloe. Pero empiezo a sospechar que los viajes no me interesan tanto como antes —le confesó—. ¿Y usted? ¿Creció en un lugar como Bradley?

Él sacudió la cabeza.

—No. Crecí en Los Ángeles, con mi madre y mi hermano.

—¿Y su padre?

—John, mi difunto hermano, era hijo de un padre diferente. El suyo se marchó cuando él tenía tres o cuatro años... El mío, cuando descubrió que mi madre se había quedado embarazada.

—Seguro que fue muy difícil. Su madre debía de ser una mujer muy fuerte.

—Lo era. Trabajaba mucho; quizás, demasiado. En nuestra casa no había tiempo para la diversión.

—Sí, he conocido a gente así; gente que cree que el trabajo lo cura todo —comentó—. Yo, en cambio, soy de los que piensan que un dulce lo cura todo.

—No sé si estará en lo cierto, pero me habría gustado tener otro tipo de infancia. Fue tan dura que me sentí aliviado cuando me marché a la universidad.

—¿Tiene una carrera universitaria?

—Sí. Estudié gracias a una beca, y trabajaba al mismo tiempo...

Ryan siguió hablando sin pensar. Fue como si hubiera abierto una puerta que llevaba cerrada demasiado tiempo. Le habló de sus estudios, de lo bien que se sentía estando solo y de las llamadas telefónicas de su madre, siempre preocupada por la posibilidad de que no estudiara lo suficiente o se metiera en líos.

—Su madre debía de estar muy orgullosa de usted.

—Me temo no. Nunca dijo nada parecido.

—Y ahora está muerta.

—En efecto.

Ryan la miró en silencio durante unos segundos, consciente al fin de todo lo que le había contado.

—¿Cómo lo hace? —le preguntó.

Ella se encogió de hombros.

—Es un don. A la gente le gusta hablar conmigo.

Pero, en su caso, juego con ventaja... Tuve ocasión de conocer a su hermano.

—No sé si yo puedo decir lo mismo. Me sacaba diez años y se marchó a la universidad cuando yo seguía en el colegio. Volvía a casa de vez en cuando, pero no fue como si hubiéramos crecido juntos.

—Era un buen hombre. Estoy segura de que habría hecho buenas migas con él; de hecho, me consta que él le tenía mucho afecto —declaró—. Y, según tengo entendido, se lleva muy bien con su hija.

—Sí, aunque se lo debo en gran parte a Cassie. Me ha sido de gran ayuda.

—Es posible, pero no sea tan modesto. Ha hecho un esfuerzo por conocer a Sasha. Hay gente que ni siquiera lo habría intentado.

—Bueno... Cassie me hizo ver que era mi responsabilidad.

—Y seguro que no ha sido tan difícil. Además, usted no es de la clase de hombres que huye de sus responsabilidades. Habría cuidado de su sobrina aunque la mía no hubiera intervenido —afirmó—. Cassie no lo respetaría tanto si no fuera así.

Ryan se sintió incómodo. Estaba seguro de que Charity no habría hablado tan bien de él si hubiera sabido lo del beso.

—Cassie es muy amable. Y tiene un talento natural con los niños... No había conocido a nadie como ella. Es como si adivinara los pensamientos de Sasha; como si supiera lo que necesita en cada momento.

—Recuerde que estudió Magisterio y que es profesora de preescolar. Si no supiera tratar a los niños, sería de lo más preocupante —ironizó—. Estoy segura de que hay personas que entienden mejor a los niños que otras; pero no subestime la experiencia profesional. Piense en su empresa, por ejemplo... Obviamente, no esperará que un empleado nuevo sepa tanto como un empleado antiguo. Con Cassie es lo mismo.

—Es lo que ella me dice. Supongo que será verdad.

—Por supuesto que lo es. No insinuará que mi sobrina y yo estamos equivocadas... —dijo con humor.

—Claro que no. Pero Sasha me preocupa de todas formas. Sus padres han muerto y yo soy lo único que tiene.

—Bueno, estar preocupado es tener ganada media batalla —afirmó—. Significa que Sasha le importa. A veces lo hará bien y, a veces, no lo hará tan bien; pero seguirá adelante en cualquier caso. A mí me pasó lo mismo con mis sobrinas. No sabía qué hacer con ellas. Pero el amor es lo único importante; cuando quieres a alguien, todo lo demás viene rodado.

Si Ryan hubiera escuchado esa declaración unas semanas atrás, se lo habría discutido. Sin embargo, su experiencia con Sasha lo había cambiado todo. Ahora sabía que Charity estaba en lo cierto.

—Solo quiero hacer lo correcto. Se lo debo a mi sobrina y a mi hermano.

Ella lo miró con intensidad.

—Puede que también se lo deba a usted mismo.

Ryan sonrió. Definitivamente, la tía de Cassie era extraordinariamente perceptiva.

—No me extraña que la gente le cuente sus cosas.

Charity se encogió de hombros.

—Como ya he dicho, es un don. Pero no se preocupe por nada; soy tan buena escuchando como guardando secretos. Y hablando de secretos, Cassie cum-

plirá los veinticinco dentro de poco... Le vamos a dar
una fiesta, y nos gustaría que asistiera.

—Gracias.

Charity se recostó en el sillón.

—¿Le ha contado lo de la leyenda familiar?

—Sí, me ha hablado del camisón. Tiene una confianza ciega en él —respondió—. ¿Y usted?

—Naturalmente. El mundo está lleno de cosas incomprensibles... Además, tengo una prueba que lo de-
muestra. Chloe se lo puso y soñó con el hombre con
quien se ha casado. Lo suyo fue amor a primera vista.

Ryan tragó saliva y preguntó:

—¿Cree que Cassie soñará con Joel?

—¿Cree usted que Joel es el hombre adecuado
para ella? —replicó.

—No soy quién para decirlo. Solo sé que llevan
juntos nueve años... ¿Qué otro hombre le podría interesar?

Charity lo miró en silencio durante unos segundos.
Después, se levantó del sillón y dijo:

—Discúlpeme por haberle robado tanto tiempo.
Supongo que estará muy ocupado, así que será mejor
que me vaya.

Charity lo volvió a mirar a los ojos y salió del despacho.

Ryan se quedó con la inquietante sospecha de que
sabía lo del beso y, tal vez, de otras cosas que ni siquiera alcanzaba a imaginar.

Capítulo 11

RYAN se dedicó el resto de la tarde a fingir que trabajaba, porque no pudo hacer gran cosa. La conversación con Charity lo había dejado asombrado. No podía creer que le hubiera proporcionado tanta información personal. No tenía la costumbre de abrir su corazón a desconocidos ni, a decir verdad, a nadie.

Pero su falta de concentración se debía en gran parte a Cassie. ¿Dónde demonios estaba? Se había ido poco después del mediodía y ya eran las cuatro y media de la tarde. ¿Le habría pasado algo? Nunca estaba fuera tanto tiempo. No en plena jornada laboral.

Ya estaba a punto de llamar a la policía y a los hospitales de la zona cuando oyó voces en el vestíbulo de la casa. Por fin había llegado. Por fin se podría concentrar en el trabajo.

Desgraciadamente, no fue así. Por mucho que lo

intentó, no fue capaz de concentrarse en nada. Necesitaba saber dónde había estado y qué había estado haciendo. Sabía que no era asunto suyo, pero tenía la sospecha de que estaba relacionado de alguna forma con lo sucedido la noche anterior.

Aquella mañana, Cassie se había comportado como si aquel beso no hubiera sido tan importante para ella. Ryan no desestimaba la posibilidad de que hubiera sido sincera, pero tampoco desestimaba la posibilidad de que estuviera fingiendo. Al fin y al cabo, había sido un encuentro demasiado intenso, demasiado apasionado, demasiado abrumador para que no tuviera importancia.

Momentos después, llamaron a la puerta. Era Cassie.

—Ya he vuelto —dijo con una sonrisa.

Él la miró con detenimiento. Tenía ojeras, síntoma inequívoco de que no había dormido bien durante la noche.

—¿Estás bien?

—Sí, perfectamente. Me gustaría invitar a cenar a la tía Charity. ¿Te importa que se quede? —preguntó.

Ryan estuvo a punto de negarse. Charity le había gustado mucho, pero quería estar a solas con Cassie. Necesitaba hablar con ella de lo sucedido.

—Por supuesto que no.

—Excelente. Te llamaré cuando la cena esté preparada.

Cassie salió del despacho y cerró la puerta.

Una vez más, Ryan se quedó a solas con sus pensamientos. Ojeras aparte, Cassie le había parecido completamente normal. Quizá fuera cierto que el beso no había significado nada para ella, y hasta se dijo que era lo mejor para todos. Él no estaba buscando una relación amorosa. No era el hombre adecuado para Cassie.

Volvió al trabajo e intentó no prestar atención a las voces distantes de las mujeres; pero, en realidad, estaba más atento a ellas que a la pantalla del ordenador. Lograban que se sintiera menos solo.

Charity acarició la mejilla de Sasha.

—Eres un pequeño angelito, ¿lo sabías?

La niña sonrió, encantada.

—Cuidar de ella ha sido un placer —continuó—. Si necesita que sustituya a Cassie otro día, no dude en llamarme.

—Sí, Sasha es un encanto —dijo Ryan desde el otro lado de la mesa—. Y creo que lo sabe de sobra...

Sasha extendió las manos hacia su tío.

—¡Tío Ryan!

—Sí, sí, ya voy...

Ryan se levantó y se puso de cuclillas junto a la sillita de la niña, que le pasó los brazos alrededor del cuello.

—Te has ganado mi corazón. Creo que ya no podría vivir sin tus abrazos.

Sasha se puso de morritos, pidiéndole un beso; y él se lo concedió. Saciada su necesidad de afecto, la niña alcanzó su cuchara y golpeó su bandeja de metal.

—¡Yo hambre!

—Sí, lo sabemos —dijo Ryan, que le quitó la cuchara y la dejó fuera de su alcance—. Quédate sentadita hasta que Cassie te sirva la cena. No tardará mucho.

La niña se quedó tan disgustada que el labio inferior le empezó a temblar, como si estuviera al borde de las lágrimas. Ryan se dio cuenta de lo que pasaba y decidió actuar de inmediato. Plantó una mano en la mesa, separando los dedos, y dijo:

—Elige uno.

La niña dudó.

—¿No quieres jugar?

Sasha le tocó el índice, y Ryan dio varios golpecitos con él. Después, le tocó el dedo corazón, y él subió la mano y se puso a imitar el sonido de un platillo volante.

—¡Más! —dijo la niña.

Estuvieron jugando un rato, hasta que Cassie le sirvió la comida.

—Has hecho un gran trabajo con ella. Si no llega a ser por ti, habría empezado a llorar —dijo ella—. ¿Por qué no te sientas en el salón, con Charity? La comida estará enseguida.

Antes de sentarse, Ryan abrió la botella de vino y llenó tres copas. Cassie apareció poco después, con la cena.

—Ryan y yo estuvimos charlando esta tarde —declaró Charity—. ¿Sabías que estudió en la universidad con una beca?

—No, no lo sabía... —contestó su sobrina.

—Y no solo eso. Mientras estaba estudiando, trabajaba a la vez.

Cassie sonrió.

—Es que Ryan tiene muchas virtudes.

—Por no mencionar lo bien que lo está haciendo con Sasha —insistió Charity—. De la noche a la mañana, descubre que es tutor de su sobrina; y sin saber nada de niños, se encarga de ella como si fuera un experto.

Ryan miró a las dos mujeres y dijo con sorna:

—Os recuerdo que estoy presente. Si tenéis alguna duda, me podéis preguntar.

—¿Es que te sientes fuera de lugar? —Cassie se giró hacia su tía—. Lo hombres son tan sensibles...

Charity suspiró.

—Sí, todos son iguales en ese sentido. Unas criaturas exageradamente delicadas. Pero ¿qué podemos hacer? Son todo lo que tenemos...

Charity le dio una palmadita en la mano y añadió:

—¿De qué te gustaría que habláramos, querido?

—De lo que queráis —dijo Ryan, siguiéndoles el juego—. Nunca he sido un macho dominante.

—Espero que no, porque nosotras somos dos y tú, solo uno —le recordó Cassie—. Tenemos mayoría, así que podemos hacer lo que queramos.

—Ah, ya veo... ¿Tengo que recordarte que trabajas para mí y que, en consecuencia, me debes tratar con reverencia y con el mayor de los respetos?

—Yo diría que ese es un comentario extremadamente dominante, Ryan. Pero, ¿quieres que te trate con reverencia? ¿Crees que eres una especie de Dios?

—Claro, como todos los hombres.

Cassie soltó una carcajada.

—En ese caso, te erigiremos un templo en alguna de las habitaciones vacías. Pondremos una fotografía tuya y unas cuantas velas.

—Me parece bien. Pero que sea un templo grande, por favor.

Ryan miró a Charity y le guiñó un ojo.

—Vaya, vaya... Ten cuidado con este hombre, Cassie —dijo su tía—. Es encantador, y los hombres encantadores son los más peligrosos.

—Ryan no me preocupa. Es un gran jefe. Me gusta trabajar con él.

Cassie preguntó a Charity sobre una película que había visto recientemente y la conversación derivó hacia temas más generales. Mientras hablaban, Ryan se sintió tan bien que empezó a considerar la posibilidad de romper con su existencia solitaria. Quizás había cometido un error al no comer con Cassie y Sasha con más frecuencia. Disfrutaba mucho de su compañía.

En determinado momento, la niña derramó la leche y él se levantó para limpiar el estropicio. Cuando regresó a la mesa, Cassie le puso una mano en el brazo.

—Gracias.

—De nada.

Ryan clavó la mirada en sus labios y volvió a sentir el deseo de besarla. Pero no estaban solos, así que apartó rápidamente la vista y ella, por su parte, retiró la mano. Pero el movimiento de Cassie fue tan extraño que le llamó la atención. Cualquiera habría dicho que tenía miedo de que viera algo.

La miró a la cara, como intentando leer sus pensamientos. A primera vista, parecía la misma de siempre. Pero, un segundo después, se fijó en un detalle que le había pasado completamente desapercibido.

El anillo. Su anillo de compromiso había desaparecido y, en su lugar, solo se veía una línea de piel pálida.

Charity no se marchó hasta más o menos las diez de la noche. Y fue la velada más larga en la vida de Ryan. Al principio, intentó encontrar una forma de conseguir estar a solas con Cassie, para interesarse por lo sucedido; pero no necesitaba hablar con ella para deducir lo que podía haber pasado.

Seguramente, habría hablado con Joel y le habría contado lo del beso. Luego, habrían discutido y habrían roto su relación. Y todo, por su culpa.

Charity acababa de salir de la casa cuando Ryan dijo:

—Tenemos que hablar.

Ella respiró hondo.

—Esta noche, no. Estoy cansada y tengo jaqueca. No me suele doler la cabeza, pero estoy segura de que se me habrá pasado por la mañana.

Ryan decidió presionarla. Necesitaba saber lo que había pasado.

—Solo serán unos minutos. Te lo ruego.

Cassie dudó, pero se dirigió al salón y le hizo un gesto para que la siguiera. Ella se sentó en el sofá y él se quedó de pie, súbitamente nervioso. No sabía por dónde empezar.

—¿Y bien? ¿De qué quieres que hablemos?

Él se acercó a la ventana y la miró.

—No llevas tu anillo de compromiso.

Cassie sonrió con debilidad.

—Sí, ya lo sé.

—¿Qué ha pasado?

—Si crees que lo he perdido, te equivocas. Se lo he devuelto a Joel.

Ryan se volvió a sentir inmensamente culpable. ¿Sería posible que le hubiera devuelto el anillo por su culpa? Era evidente que sí, pero no lo quería asumir. No quería ser responsable de lo sucedido. Ni siquiera quería una relación seria.

—No entiendo nada, Cassie. Pero si solo fue un beso... Y ya me he disculpado —le recordó—. Eso no es motivo para romper tu relación con Joel. No deberías habérselo devuelto. Creo que has cometido un error.

Cassie sacudió la cabeza.

—No tengas miedo, Ryan. Te aseguro que Joel no se va a presentar en tu casa con una pistola. No sé por qué te preocupa ese asunto, pero te lo estás tomando de un modo excesivamente personal. No es para tanto.

Ryan se quedó sorprendido por la tranquilidad de sus palabras. Su mirada era firme y el lenguaje de su cuerpo, carente de toda tensión. Aquella noche llevaba un vestido verde, de color oscuro, y unos zapatos a juego. Se había recogido el pelo, lo cual enfatizaba la belleza de sus grandes ojos, de sus perfectos pómulos y, por supuesto, de su tentadora boca.

—Si no es para tanto, explícamelo.

—Está bien. No le he devuelto el anillo porque tú y yo nos besáramos. Se lo he devuelto por lo que sentí cuando nos besamos.

Él intentó hablar, pero ella alzó una mano.

—Puede que parezca lo mismo, pero no lo es. Joel y yo hemos estado juntos desde la adolescencia, pero ninguno de sus besos y sus abrazos me habían producido nunca las sensaciones de anoche.

Ryan supo que estaba diciendo la verdad. Lo supo porque él tampoco había sentido nada parecido.

—Así que se lo has dicho.

—Tenía que decírselo. Primero, me limité a decir que nos habíamos besado; pero reaccionó como si no le importara.

Ryan se quedó atónito.

—¿Cómo? ¿Qué quieres decir?

Cassie le resumió la conversación que habían mantenido. Ryan sacudió la cabeza con perplejidad. No podía entender que Joel hubiera reaccionado con tanta tranquilidad; si él hubiera estado en su lugar, los celos le habrían cegado. Pero esa no era la cuestión.

—¿Has roto con él porque no se ha puesto celoso? Eso es tan absurdo como el hecho de que le contaras la verdad. Era del todo innecesario. Solo fue un accidente, algo que no se volverá a repetir.

Cassie frunció el ceño.

—No lo has entendido, Ryan. No he roto con él por ese beso ni porque no se enfadara al saber que te había besado. He roto con él porque se han confirmado mis dudas sobre nuestra relación. Como no tenía otra referencia, no sabía si nuestra falta de pasión era normal o un problema mío y de Joel. Anoche, comprendí que me estoy perdiendo un mundo de sensaciones. Un mundo entero.

Ella se detuvo un momento y siguió hablando.

—Ahora sé que quiero una relación tan intensa en lo físico como en lo emocional. He roto con Joel porque ya no estoy dispuesta a contentarme con menos. He roto con Joel porque lo quiero todo.

Cassie no dijo nada. La miraba como si su declaración lo hubiera asustado. En otras circunstancias, ella lo habría encontrado divertido; pero se sentía vulnerable y estaba demasiado cansada.

—No te asustes. No te voy a pedir que te acuestes conmigo ni, mucho menos, que tengas un hijo conmigo. Me has ayudado a despertar y a ser consciente del error que estaba cometiendo, pero esto no tiene nada que ver contigo.

—Pues no lo parece...

Ella suspiró.

—Ya lo hemos hablado esta mañana, Ryan. Somos demasiado diferentes. Estoy de acuerdo en que tenemos algunas cosas en común, pero no en la cantidad necesaria para mantener una relación. Ese beso fue un simple accidente; un accidente precioso, pero en modo alguno significativo.

—Para no ser significativo, ha tenido consecuencias verdaderamente graves. Has roto tu relación con Joel.

—Está bien, admito que ha tenido su importancia; pero solo porque ha confirmado las dudas que ya tenía. Me he dado cuenta de que tenía que tomar una decisión. Durante años, Chloe me ha estado repitiendo que mi relación con Joel no merecía la pena, que me estaba negando la posibilidad de vivir... Pero yo me negaba a escucharla. Pensaba que lo decía porque Joel no le caía bien.

—¿Y ahora?

—Ahora he abierto los ojos. Joel es un hombre maravilloso, y siempre me alegraré de haberlo conocido. Pero quiero algo que él no me puede dar. Quiero tener lo mejor de los dos mundos... La amistad y la pasión.

—¿Eso es todo?

Ella asintió.

—Te estoy diciendo la verdad, Ryan. Mi relación con Joel ha terminado. Ha sido difícil, pero es lo mejor que podía pasar.

Los ojos de Cassie se llenaron de lágrimas.

—¿Estás llorando?

—Sí, creo que sí, pero no por las razones que piensas. A decir verdad, me siento inmensamente aliviada.

No son lágrimas de tristeza ni de dolor. No lo he sentido tanto como imaginaba.

—Puede que lo sientas después.

—Sí, es posible. Pero ni se me ha roto el corazón ni siento lo que ha pasado. Es obvio que ese beso te ha incomodado mucho, pero ha sido una revelación para mí.

—A mí no me ha incomodado —declaró Ryan—. No me ha incomodado en absoluto.

Cassie estuvo a punto de sonreír.

—Si tú lo dices... Pero quiero que sepas que no espero nada de ti, y que lo sucedido entre Joel y yo no es culpa tuya.

Ryan guardó silencio.

—No te preocupes, por favor. La decisión que he tomado es estrictamente mía —continuó Cassie—. No significa que tenga segundas intenciones contigo. Y, desde luego, no significa que te vaya a mirar con ojos de ternero a partir de ahora.

—¿Con ojos de ternero? ¿Qué es eso?

Cassie sonrió.

—Ahora que lo preguntas, no lo sé. Y como no lo sé, no te podré mirar de esa forma... Así que no seré un problema para ti.

Ryan se acercó a ella.

—Nunca he pensado que lo fueras. Pero quiero que te sientas libre para salir cuando te apetezca. El hecho de que ya no estés saliendo con Joel no significa que no puedas aprovechar las noches para salir por ahí y descubrir ese nuevo mundo que te está esperando.

Cassie arqueó una ceja. No esperaba que Ryan se mostrara tan ansioso por echarla en brazos de otros hombres.

—Gracias, Ryan, pero creo que esperaré una temporada. Acabo de recuperar mi libertad y necesito acostumbrarme a ella —declaró—. En fin, se está haciendo tarde. Será mejor que me acueste.

Ryan la miró a los ojos.

—Por lo que me has contado, cualquiera diría que te hice un favor con ese beso, Cassie. Pero te aseguro que no fue un favor, sino un placer. Lo digo en serio.

Cassie se quedó inmóvil durante unos segundos, con la esperanza de que la besara otra vez o, mejor aún, de que hiciera algo más que besarla. Pero sabía que era una esperanza sin fundamento, de modo que le dio las gracias de nuevo y se marchó.

En el peor de los casos, siempre tendría el recuerdo de aquel beso. Y todas las fantasías eróticas sobre lo que podría haber sucedido si se hubieran dejado llevar.

Capítulo 12

L A semana siguiente fue de lo más tranquila, para
alegría de Cassie. Ya había sufrido demasiados
traumas en el corto espacio de un mes. Desde
luego, no habría protestado si Ryan se hubiera presen-
tado en su dormitorio y le hubiera hecho el amor apasionadamente, durante horas; pero ya que no se pre-
sentaba, la paz y la tranquilidad le parecían sustitutas
bastante aceptables.

Su vida siguió por los cauces de siempre. De lunes
a jueves, llevaba a Sasha al colegio y pasaba después a
recogerla. Ryan comía con ellas y les hacía compañía
de vez en cuando, pero Cassie no se hacía ilusiones al
respecto; en cuanto acostaba a Sasha, se excusaba y se
encerraba en su despacho.

—Está visto que no se puede tener todo —se dijo
en voz alta.

Alcanzó una de sus chaquetas y se la puso. Iba a

salir a comprarle unos zapatos a la niña, porque los que tenía se le habían quedado pequeños. Y se había llevado una sorpresa cuando, por motivos que no alcanzaba a entender, Ryan decidió ir con ellas.

Se acercó al tocador y se cepilló el pelo. Mientras se lo cepillaba, miró el dedo donde había llevado el anillo durante tantos años y se preguntó qué sería de Joel. Había imaginado que la llamaría en algún momento, pero era como si se hubiera esfumado de la faz del planeta; y aunque le entristecía que una relación tan larga pasara al olvido en tan poco tiempo, no lamentaba lo sucedido. Bien al contrario, se alegraba enormemente.

—¿Estás preparada? —exclamó Ryan desde el piso de abajo.

Al oír su voz, el pulso de Cassie se aceleró.

—¡Voy enseguida!

Salió del dormitorio y se dirigió a las escaleras con una sonrisa irónica en los labios. Si la voz de Ryan bastaba para que su corazón se desbocara, ¿qué sentiría al hacer el amor con él? Por supuesto, no era más que una hipótesis. Se había convencido de que Ryan se encontraba completamente fuera de su alcance. Pero eso no quería decir que no pudiera disfrutar un poco con sus fantasías.

Al llegar al vestíbulo, alcanzó el bolso y salió al exterior. La estaban esperando en el coche de Ryan, un sedán de lujo.

—He instalado la sillita en el asiento de atrás —le informó él.

Cassie se acercó a la ventanilla del asiento trasero y se asomó. La niña estaba tranquila y cómodamente sentada.

—¿Te gusta tu sillita nueva? —le preguntó.

Sasha asintió.

—*Tío melá comprado.*

—Sí, ya lo sé. El tío Ryan te quiere mucho y quiere que estés a salvo.

Sasha sonrió.

—¡Vámonos! —exclamó.

—Bueno, ya tenemos nuestras órdenes —dijo Cassie, mirando a Ryan—. Será mejor que las acatemos y nos pongamos en marcha.

—Eso está hecho.

Los dos adultos entraron en el coche. Antes de ponerse el cinturón de seguridad, Cassie se giró hacia el asiento de atrás y comprobó que la sillita estaba firmemente sujeta.

—Está perfecta —dijo.

Él arrancó momentos después. Cassie le lanzó una mirada subrepticia y respiró hondo, en un esfuerzo por tranquilizarse. La cercanía física de Ryan la incomodaba mucho. Ardía en deseos de abalanzarse sobre él y asaltar su boca. Pero sabía que no estaba hecho para ella, así que se intentó consolar con la idea de que, en algún lugar, había un hombre cariñoso y apasionante que la estaba esperando.

La idea le gustó tanto que le arrancó una sonrisa.

—¿Qué piensas? —preguntó Ryan.

—Nada importante.

—Pero estabas sonriendo...

—Porque soy feliz.

Los ojos de Ryan brillaron con afecto.

—Sí, se nota que lo eres.

Cassie quiso creer que su actitud era más que amistosa. Quiso creerlo, pero no pudo.

—¿Qué tipo de zapatos vamos a comprar? —continuó él.

—Lo preguntas como si tuviéramos algo que decir al respecto...

—¿Es que no lo tenemos?

—Son los zapatos de Sasha.

—Pero solo tiene dos años.

Cassie sonrió.

—Nunca has ido de tiendas con una niña pequeña, ¿verdad?

Ryan gimió.

—No me lo cuentes. No lo quiero saber.

—Pues es demasiado tarde. Además de saberlo, ahora lo vas a vivir en carne propia.

Quince minutos después, Sasha estaba sentada en una zapatería, sacudiendo la cabeza.

—¡Rosa! —dijo, mientras Ryan le enseñaba unos zapatos amarillos.

Ryan miró a Cassie con impotencia.

—Los amarillos son de mejor calidad. Le durarán más tiempo. Además, los rosas solo le gustan más porque tienen un gatito en un lado.

—A mí no me lo cuentes, Ryan. Cuéntaselo a ella.

—Sí, ya, como si fuera tan fácil... —Ryan se puso de cuclillas delante de su sobrina—. Sasha, los amarillos son muy bonitos.

La niña frunció el ceño.

—¡*Zapatos rosa*! *Me guta el rosa. Me guta el gatito.*

Ryan volvió a mirar a Cassie.

—¿Qué puedo hacer?

—Tú sabrás. ¿Te quieres pelear con una niña de dos años por unos zapatos? Te recomiendo que sopeses el coste y los beneficios antes de embarcarte en esa aventura. Sí, tú eres el adulto y vas a comprar los zapatos, así que tienes derecho a elegir. Pero piénsalo bien, porque ¿qué harás si los compras y se niega a ponérselos? ¿Vas a discutir con ella todas las mañanas? O mejor dicho, ¿quieres discutir con ella todas las mañanas?

—¿Crees que sería capaz de negarse a usarlos?

—Sinceramente, no lo sé. Es posible que olvide el asunto y es posible que no.

—Oh, Dios mío.

—Bienvenido al mundo de la paternidad —declaró con humor—. Como ves, no hay soluciones fáciles. Toma la decisión que te parezca más oportuna, pero recuerda que luego no debes cambiar de idea. Tu decisión debe ser inamovible... Piénsalo detenidamente, Ryan.

Ryan miró los zapatos de color rosa y los de color amarillo.

—Eres demasiado pequeña para dar tanta guerra —dijo a su sobrina.

—¡Abrazo! —declaró Sasha.

Ryan le dio el abrazo, pero con una advertencia:

—No me vas a comprar con un poco de afecto.

Tras sopesar el asunto durante unos momentos, Ryan se incorporó, se dirigió al mostrador e informó al zapatero de que se llevarían los de color rosa. A Cassie no le sorprendió.

Después, volvió con su sobrina y le puso sus calcetines y sus zapatos viejos.

—¿Qué estás pensando? —preguntó a Cassie—. Estás muy callada...

—Nada importante.

—¿Qué zapatos habrías comprado tú?

—Los de color rosa. A fin de cuentas, los amarillos no son mucho mejores; y los niños crecen tan deprisa que, dentro de poco, tendrás que comprarle unos nuevos.

—Entonces, ¿he hecho lo correcto?

Ella sonrió.

—Lo has hecho maravillosamente bien.

—Gracias. Tu opinión significa mucho para mí.

Mientras Ryan tomaba en brazos a Sasha, ella se dedicó a recoger sus chaquetas. Necesitaba estar sola unos momentos. El esfuerzo de fingir que Ryan no le gustaba, resultaba asombrosamente agotador.

Cuando salían de la tienda, se cruzaron con una mujer que iba en compañía de dos niños pequeños. Al ver a Sasha, les dijo:

—Su hija es preciosa.

Ryan dudó un momento y, a continuación, le dio las gracias. Ya en la calle, se giró hacia Cassie y dijo:

—Espero que no te haya molestado. Me ha parecido que darle las gracias era más fácil que explicarle que no somos sus padres.

—No, claro que no me ha molestado. Son cosas que no se pueden evitar.

—Gracias por ser tan comprensiva.

—No hay de qué.

—Bueno, ¿qué vamos a hacer con la comida?

Cassie permaneció al margen mientras tío y sobrina discutían las distintas posibilidades. Ya se había convencido de que Ryan no era hombre para ella; pero, al oír que la mujer de los niños los tomaba por una familia, se dio cuenta de que alejarse de él iba a ser mucho más difícil de lo que había imaginado.

Desgraciadamente, no podía hacer nada al respecto. Salvo aprender la lección y no terminar con otro por la simple y pura razón de que no podía estar con el hombre que le gustaba.

El sonido de unas risas rompió la concentración de Ryan, que se giró hacia la ventana. Al principio, no había tenido problemas para bloquear los sonidos que le llegaban de la casa; pero, con el tiempo, se estaba volviendo cada vez más difícil. Ahora disfrutaba de la compañía de Cassie y de Sasha. Y, puesto a elegir entre ellas y el trabajo, las elegía a ellas.

Se echó hacia atrás en el asiento y se preguntó qué habrían pensado sus empleados si lo hubieran visto en esa situación; a fin de cuentas, tenía fama de trabajar a destajo y de someterlo todo a las necesidades de la empresa.

Pero eso había cambiado. Si al final se quedaba en Bradley, tendría que alquilar una oficina lejos de la mansión. De lo contrario, no trabajaría nunca.

Apagó el ordenador, salió del despacho y fue al porche trasero. La tarde de noviembre era tan soleada como fría. Sasha estaba sentada en el columpio que su padre había instalado cuando la niña solo tenía doce meses. Llevaba sus zapatos de color rosa, unos pantalones del mismo color y una chaquetita. Cassie estaba detrás, empujando el columpio.

—Más... —le rogó la pequeña.

—No te puedo empujar con más fuerza, Sasha. Eres demasiado pequeña.

Mientras observaba a su sobrina, Ryan pensó que la vida podía llegar a ser extraordinariamente fácil para una niña. Todo consistía en jugar, echarse la siesta, seguir jugando y recibir toneladas de afecto. Le habría gustado que la vida de los adultos fuera tan sencilla.

—¡Tío Ryan!

Cuando la niña lo vio, saltó del columpio y fue corriendo al porche. Ryan la tomó en brazos y le empezó a dar vueltas y más vueltas, hasta que se cansó.

—Bueno, ya está bien. Necesito descansar un poco...

Sasha señaló entonces a Cassie.

—¡Ahora Cassie!

Ella sacudió la cabeza.

—No, gracias. Me marearía. Y tu tío acabaría con dolor de espalda.

Sasha frunció el ceño.

—Además, soy demasiado grande para él... —continuó—. No podría conmigo.

—¡Pues cosquillas!

La niña corrió hacia Cassie, que soltó una carcajada y se escondió detrás del árbol del columpio.

—¿Cosquillas? —preguntó Ryan—. ¿De qué está hablando?

Cassie volvió a reír. La niña dio la vuelta al árbol, intentando alcanzarla; pero ella era más rápida.

—De un juego que le encanta. Intenta alcanzarme para hacerme cosquillas después —explicó.

—¿Necesitas que te ayude, Sasha? —se ofreció Ryan.

Sasha se detuvo, miró a su tío y sonrió.

—¡Sí!

Ryan no lo dudó ni un momento. Cassie era una presa muy tentadora. Llevaba unos vaqueros ajustados que enfatizaban sus caderas y sus muslos, además de un jersey rojo que disimulaba mal sus generosos pechos.

—¡Esto no es justo! ¡Sois dos contra uno! —exclamó Cassie al ver que se acercaba—. ¡Espera, espera! Deberíamos atrapar a Sasha. Sería más divertido...

—Sí, sería divertido. Pero no tan divertido como esto.

Cassie huyó a toda prisa y logró escapar de Ryan por los pelos, pero la niña le cortó la retirada y, un momento después, terminó tumbada en el césped. Sasha se le puso encima y le empezó a hacer cosquillas. Ryan, por supuesto, se sumó a la fiesta.

—¡Para, Ryan! —dijo, sin poder parar de reír—. Esto es inadmisible... No forma parte de mis obligaciones laborales.

—Ya lo sé...

Justo entonces, la niña cambió de víctima y empezó a hacer cosquillas a su tío.

—¡Eh! ¡Que el enemigo es ella! —protestó.

La reacción de Ryan llegó demasiado tarde. Cassie aprovechó su momento de desconcierto y le empezó a hacer cosquillas en venganza. Ryan era incomparablemente más fuerte que las dos; pero no podía hacer uso de su fuerza sin arriesgarse a hacerles daño, debilidad que Cassie y la niña aprovecharon a fondo.

—¡Basta! ¡Basta! ¡Pido tregua!

—¡*Fale!* —dijo la niña.

—De acuerdo... —dijo Cassie.

Cassie se quedó tumbada en el césped, apretada contra él. Ryan la deseó más de lo que había deseado a ninguna mujer en su vida. Pero eso no le dio tanto miedo como el descubrimiento que hizo a continuación: que aquello era exactamente lo que necesitaba. Días como ese. Días de sol y risas. Días con Sasha y con Cassie.

Pero, por mucho que lo deseara, seguía convencido de que no tenía las habilidades necesarias para sentar la cabeza. Sabía trabajar duro; sabía salir adelante sin más recursos que su dedicación y su voluntad y, por supuesto, sabía aprender lo necesario para conseguir sus objetivos en materia de negocios. Por desgracia, ser padre y marido era algo bien distinto. Algo que no había hecho nunca.

Además, Cassie no querría estar con un hombre como él, que trabajaba ochenta horas a la semana y mantenía una distancia emocional con todo. Necesitaba una persona como ella, encantadora, cariñosa y abierta; una persona que creyera en la familia y en las relaciones con finales felices.

Él no le podía ofrecer nada.

Solo podía hacer una cosa: solucionar su problema. De algún modo, encontraría la forma de que Joel y Cassie volvieran a estar juntos.

Ryan le enseñó la fotografía de un joven muy serio, que parecía una versión más musculosa y baja de su hermano.

—Este es John, cuando se fue a la universidad. Yo debía de tener ocho o nueve años, y sobra decir que no quería que se fuera... Me prometió que seguiríamos haciendo cosas juntos, pero supe que todo iba a ser diferente.

—¿Y lo fue?

Él asintió.

—Durante los dos primeros años, volvía a casa por vacaciones. Luego, siempre estaba demasiado ocupado.

La noche era fría, pero Ryan había encendido un fuego en la chimenea. El olor de la madera quemada llenaba el salón. Cassie alcanzó su copa de vino y bebió un poco; a pesar de la luz de las llamas y de lo avanzado de la noche, se negaba a reconocer que la situación era de lo más romántica. Ryan le había pedido que le ayudara a ordenar sus fotografías, para enseñárselas a Sasha; y ella se había prestado a echarle una mano. Pero nada más.

O, al menos, eso era lo que se repetía a sí misma una y otra vez.

—Ah, mira... Aquí está el álbum de su boda.

Ryan lo abrió. Helen y John estaban juntos en la primera foto. Se los veía tan enamorados que Cassie sintió envidia.

—Parecían tan felices... —dijo Ryan, sin apartar la mirada de la imagen—. No puedo creer que malinterpretara tanto a mi hermano. Me lo tomé como una traición, ¿sabes? Me pareció que estaba renunciando a su vida y a sus ambiciones profesionales... Pero, cuando miro estas fotos, sé que hizo lo correcto. Me habría gustado decírselo en persona.

—No te preocupes por eso. Estoy segura de que él lo sabía.

—Ojalá...

Ryan siguió pasando las páginas del álbum.

—John estaba profundamente enamorado de Helen, y Helen de él. Cuando lo pienso ahora, lo admiro profundamente. Mi madre nos enseñó desde pequeños que el trabajo era lo único que importaba en la vida; pero John encontró la fuerza necesaria para escapar de los viejos temores y de las viejas costumbres.

—Probablemente, porque su amor era más fuerte

que el miedo —observó ella—. Pero tienes razón. Cambiar no es fácil.

Cassie sostuvo la copa de vino entre las manos y guardó silencio durante unos segundos. Sabía de lo que estaba hablando. Se había enfrentado a sus propios demonios y los había vencido; pero, desde su ruptura con Joel, parecían haber cobrado vida.

—¿Qué estás pensando? —preguntó él.

Ella lo miró.

—Que, por mucho que miedo que dé, hay que luchar por lo que se quiere.

—¿Y de qué tienes miedo tú?

Cassie se encogió de hombros.

—Fundamentalmente, de no ser de ningún sitio, de no pertenecer a nada. Joel era una especie de ancla para mí; una forma fácil de tener un sentimiento de pertenencia —le confesó—. Pero ahora sé que las raíces no se encuentran por arte de magia. Tengo que salir al mundo, crecer, aprender... Descubrir lo que me importa y luchar por ello.

—Te admiro, Cassie. Eres una de las personas más sinceras que conozco.

Cassie pensó que no era tan sincera como él pensaba. De hecho, le estaba ocultando lo que sentía por él.

—No creas. No soy precisamente virtuosa. No lo soy en absoluto.

—Puede que no, pero me alegro de que estés conmigo.

Cassie se giró de nuevo hacia Ryan y vio que la estaba mirando con una extraña intensidad. Le pareció tan guapo, tan perfecto, que se preguntó cómo podía fingirse desinteresada cuando estaba deseando que la tomara entre sus brazos y le diera un beso. El ambiente se había cargado de electricidad. Tenía la sensación de que la penumbra se había cerrado sobre ellos, formando una especie de isla donde, a pesar de sus temores, se sentía a salvo.

Ryan se inclinó hacia delante y la tomó de la mano. Cassie respiró hondo y pensó que, por fin, la iba a besar. Pero justo entonces, dijo:

—Se está haciendo tarde, Cassie. Será mejor que te acuestes.

Ella parpadeó dos veces, atónita. ¿Le estaba diciendo que se fuera a la cama? ¿Sola?

—Sí, claro... tienes razón.

Dejó la copa de vino en la mesita de noche y se levantó. Se sentía como si fuera una niña y los adultos la hubieran echado para poder disfrutar de una velada.

—Buenas noches —dijo en un susurro.

Cuando llegó a su dormitorio, se apoyó en la puerta y suspiró, más deprimida que nunca. Romper su relación con Joel había sido increíblemente fácil, a pesar de los nueve años que habían estado juntos. Sin embargo, tenía la sensación de que superar su relación con Ryan, un hombre al que había conocido unas semanas antes, un hombre que solo le había dado un beso, le iba a llevar una vida entera.

Capítulo 13

RYAN se asomó a la ventana por tercera vez en otros tantos minutos. Nunca había estado tan nervioso. Se repetía que estaba haciendo lo correcto y por una buena razón, pero eso no lo ayudaba en absoluto. Quizá se habría sentido mejor si hubiera podido hablar un poco más con Joel; pero la conversación había sido bastante breve, lo justo para convencerlo de que fuera a cenar a su casa.

De todas formas, a Ryan no le había extrañado su reticencia. Era evidente que seguía dolido con Cassie. Pero, si todo salía según sus planes, Joel y ella volverían a estar juntos al final de la noche.

Se apartó de la ventana y volvió a mirar el reloj. Faltaban diez minutos para que llegara, si resultaba ser un hombre puntual. Por enésima vez, se dijo que había tomado la única decisión que podía tomar. Al fin y al cabo, si él no hubiera besado a Cassie, ella no habría roto su noviazgo con Joel. Por mucho que Cassie lo negara, era culpable de haber destruido una relación; pero, con un poco de suerte, conseguiría enmendar el error.

A pesar de ello, Ryan no soportaba la idea de que Cassie estuviera con otro hombre. Cada vez que la imaginaba con su antiguo novio, se le partía el corazón. Pero tenía que ser fuerte. Él no le podía dar ni el afecto ni la estabilidad que merecía.

Se dirigió a la cocina para ver qué tal estaba. Cassie sabía que había invitado a Joel a cenar; pero no sabía que tenía intención de desaparecer después de la cena, con la esperanza de que hicieran las paces.

—Espero que te gusten los espaguetis —dijo ella, que estaba cocinando—. Charity me trajo una salsa cuando estuvo aquí, y la he descongelado para hacer la cena. Es la famosa receta de la familia Wright.

—Ardo en deseos de probarla.

Ryan la observó con detenimiento. Estaba tan tranquila y tan atractiva como siempre. Llevaba un jersey de color rosa claro que resaltaba sus senos y despertó en él un deseo intenso de acariciarlos.

—Has sido muy amable al invitar a Joel ha cenar. No he hablado con él desde que nos separamos, y tengo miedo de que se haya encerrado en sí mismo. Nunca ha sido el hombre más sociable de la Tierra. El trabajo lo es todo para él.

—Parecía algo cansado cuando nos encontramos en el centro comercial. Me dio la impresión de que últimamente no duerme mucho.

—Ahora que lo mencionas, ¿qué hacías en el centro comercial?

Ryan le dio la primera excusa que se le ocurrió.

Por motivos evidentes, no le podía decir que había ido sin más intención que la de hablar con su antiguo novio.

—Estaba buscando juguetes para Sasha. Solo faltan dos meses para las Navidades.

—¿Has ido de compras? ¿Tú solo? ¿Y para comprar juguetes en noviembre? —preguntó con incredulidad.

—Cuando es necesario, hasta yo puedo ir de compras.

Un momento después, llamaron a la puerta.

—Será mejor que abra —dijo Ryan, para cambiar inmediatamente de opinión—. No, ahora que lo pienso, es mejor que abras tú.

Cassie lo miró con extrañeza.

—¿Se puede saber qué te pasa?

—¿A mí? Nada.

El timbre volvió a sonar.

—Pues será mejor que abra uno de los dos... —ironizó ella.

Como él no se movió, Cassie se dirigió al vestíbulo. Ryan consideró la posibilidad de quedarse en la cocina y dejarlos a solas, pero la curiosidad pudo más.

—Hola, Joel...

Joel sonrió a Cassie y la abrazó con todas sus fuerzas.

—¡Cassie...!

Ryan tuvo que hacer un esfuerzo para refrenarse y no sacarlo a patadas de la casa. Al fin y al cabo, la idea de invitarlo a cenar había sido suya.

—Te veo muy cambiado —dijo ella—. ¿Qué ha ocurrido?

Joel soltó una carcajada.

—¿Te gusta mi nuevo aspecto?

Cassie lo miró como si fuera la primera vez que lo veía.

—Por supuesto que sí... Te has puesto lentillas, te has cambiado el corte de pelo y te has comprado ropa nueva.

—Ropa nueva para un hombre nuevo —bromeó.

Ryan pensó que aquello iba a resultar mucho más difícil de lo que había imaginado. Pero tragó saliva y dio un paso adelante.

—Buenas noches, Joel. Gracias por venir a cenar —le dijo—. Pero entra, por favor...

Joel entró en la casa y Ryan cerró la puerta. A continuación, se dirigieron a la cocina para servirse algo de beber. Los hombres eligieron cerveza y ella, una copa de vino blanco. Mientras Ryan abría la botella de vino, Cassie los dejó solos con la excusa de que tenía que subir a comprobar si Sasha estaba bien. La pequeña se había quedado dormida media hora antes, pero se quería asegurar.

—Bueno, ¿qué tal va el negocio? —dijo Ryan, por darle conversación.

—Bien, muy bien. He estado hablando con algunos compañeros y creen que hay grandes posibilidades de que me nombren director del centro. Pero es posible que cambie de trabajo... No sé, me apetece hacer algo nuevo —le confesó—. Cassie no quería salir de Bradley, pero ya no estoy con ella y he pensado que podría viajar un poco y cambiar de aires.

Cassie regresó un segundo después, así que se dirigieron al salón para ponerse cómodos. En lugar de sentarse junto a su antigua novia, Joel eligió uno de los sillones, dejándolos a ellos en el sofá.

—No puedo creer que hayas cambiado tanto, Joel. Tienes un aspecto magnífico.

—Gracias, Cassie. He llevado gafas durante tanto tiempo que me siento extraño sin ellas, pero las lentillas me gustan más —Joel carraspeó—. ¿Qué tal te va?

—Bien —contestó con la mejor de sus sonrisas—. He estado muy ocupada con Sasha. Es una niña maravillosa.

Cassie se puso a hablar de su trabajo y, después, lo puso al día sobre las noticias de su familia. Joel fingía escucharla con atención, pero Ryan se dio cuenta de que su cabeza estaba en otra parte. Intervenía cuando debía intervenir y se mostraba interesado en todos los casos, pero era evidente que la conversación de Cassie no le interesaba en exceso.

Echó un trago de cerveza y deseó haber elegido algo más fuerte, como un whisky. Empezaba a sospechar que aquello iba a terminar mal. Era como ver dos trenes que viajaban por la misma vía, pero en direcciones contrarias.

—Bueno, ¿qué tal te van las cosas a ti? —dijo Cassie, tras echar un trago de vino—. Al margen de tu cambio de aspecto, claro...

Joel se inclinó hacia delante.

—Tendría tantas cosas que contar... Te confieso que, cuando me dejaste, pensé que te habías vuelto loca. Pensé que estabas confundida y que se te pasaría en unos cuantos días —Joel se encogió de hombros—. Luego, empecé a pensar en lo que me habías dicho sobre la pasión y comprendí que no ibas a cambiar de idea, que estabas hablando en serio.

—Y lo estaba. Pero me alegra que lo entiendas. Creo que los dos seremos más felices así.

Ryan se empezó a preocupar de verdad. La velada no estaba saliendo según sus planes. En lugar de confesarse lo mucho que se echaban de menos, se mostraban encantados de haberse separado.

—Sí, es cierto. Ahora soy mucho más feliz —dijo Joel—. ¿Sabes una cosa? Me sentía tan solo que le pedí a Alice que saliera conmigo a cenar. No sé si te acuerdas de ella... Es la subdirectora del departamento de mascotas. Una pelirroja no muy alta.

A Ryan se le encogió el corazón. Sospechaba que el choque de trenes era inminente.

—Le conté todo lo que me habías dicho y le pedí su opinión —continuó Joel—. Pensé que, siendo una mujer, me podría dar un buen consejo.

—¿Y qué pasó? —preguntó Cassie.

Ryan cerró los ojos. No lo quería saber.

—Bueno, fue de lo más extraño. Primero me recomendó que me olvidara de ti y, luego, me confesó que yo le gustaba mucho. No imaginas la sorpresa que me llevé.

Ryan pensó que Cassie estaría a punto de estallar, pero se equivocó por completo. Miraba a Joel con toda la tranquilidad del mundo, como si la historia no fuera con ella.

—¿Y qué le dijiste?

—Nada. Me limité a escuchar —contestó—. Hasta que, al final de la noche, me invitó a su casa.

—¿En serio?

—Sí, en serio. Pasé la noche con ella. A decir verdad, estuve dos días seguidos con ella —Joel sonrió como un niño con zapatos nuevos—. Llamé al trabajo para decir que estaba enfermo y tomarme un par de días... ¿Te lo puedes creer? Nunca había hecho una cosa así.

—Eso es cierto. Te preciabas de que no faltabas ni un día al trabajo.

—Es exactamente como dijiste. Ahora sé que no se puede vivir sin pasión. Si no fuera por ti, nunca me habría acostado con Alice... Y es algo maravilloso. No me canso de estar con ella. Gracias, Cassie. Estabas en lo cierto, aunque tampoco me extraña; siempre fuiste la más inteligente de los dos.

—No sabes cuánto me alegro, Joel.

Ryan deseó que la tierra se lo tragara.

—¿Vais en serio? —continuó Cassie.

—Sí, creo que sí. Estamos viviendo juntos.

—¿Tan pronto? —preguntó Ryan sin poder evitarlo—. ¿No te parece un poco precipitado?

—No, en absoluto. Hemos decidido que nos vamos a casar. De hecho, le he comprado un precioso anillo de diamantes que... —Joel se ruborizó de repente y miró a Cassie con inseguridad—. Oh, lo siento. No debería haber dicho eso. Sé que a ti solo te regalé un...

—No te preocupes —lo interrumpió ella—. Me regalaste ese anillo cuando éramos adolescentes y no teníamos dinero. Ahora eres un hombre con éxito. Es lógico que hagas las cosas de forma distinta.

Joel sonrió.

—En cualquier caso, iremos a Las Vegas a finales de mes y nos casaremos allí. Me ha costado un poco, porque se acercan las Navidades y hay mucho trabajo, pero he conseguido que la empresa me dé unos días libres.

Cassie se levantó de repente, se acercó a Joel y le dio un beso en la mejilla.

—Me alegro mucho por ti. Sinceramente —dijo.

—¿Lo dices de verdad? No estaba seguro de cómo reaccionarías...

—Por supuesto que lo digo de verdad. Siempre te recordaré con afecto, y espero que tú me recuerdes del mismo modo. Pero los dos sabemos que había llegado el momento de seguir adelante.

—Gracias, Cassie.

—Bueno, voy a ver cómo va la cena. Vuelvo enseguida.

Al cabo de medio minuto, Ryan dio una excusa a Joel y se fue a la cocina a hablar con Cassie.

—Lo siento mucho, Cassie. No imaginaba que ese desagradecido de Joel se iba a casar con otra. Si lo hubiera sabido, jamás lo habría invitado a cenar. ¿Estás bien? ¿Quieres que lo eche? Estoy dispuesto a darle un buen puñetazo en tu nombre.

Cassie rompió a reír.

—Vaya, es la primera vez que alguien se ofrece a dar un puñetazo a otra persona en mi nombre... Agradezco tu preocupación, pero he sido sincera con Joel.

—¿No te arrepientes de haber roto vuestra relación?

—No, en absoluto.

Ryan la miró con intensidad, en un esfuerzo por adivinar lo que estaba pensando. Como no pudo, llegó a la conclusión que más le interesaba: que fingía estar contenta porque la declaración de Joel le había partido el corazón.

—Le voy a dar una buena paliza.

Cassie lo agarró del brazo.

—No, Ryan. Joel no ha hecho nada malo. Me alegra sinceramente que haya conocido a otra mujer y se vaya a casar con ella —le aseguró—. Olvídalo y disfruta de la velada. Es lo que yo pienso hacer.

—Está bien, como quieras.

Ryan la miró con desconcierto y salió de la cocina.

Dos horas más tarde, tras una cena que a Ryan se le hizo interminable, Joel se despidió de los dos y se fue a su casa. Cassie volvió entonces al comedor y empezó a retirar los platos de la mesa.

—Lo siento —dijo él.

—Ya te has disculpado antes. Y ya te he dicho que no es necesario.

—No te creo. Tiene que haber sido muy difícil para ti... No sabes cómo lo lamento. Creí que os podía ayudar a solventar vuestras diferencias y no he conseguido otra cosa que provocarte más dolor.

Cassie suspiró y se sentó en una silla.

—Agradezco tu preocupación, pero estoy bien.

—¿Cómo puedes estar bien? Hace un mes, te disponías a casarte con ese hombre. Y ahora resulta que se va a casar con otra. No es posible que no te importe.

—Bueno, admito que lo del anillo me ha molestado un poco, pero no tiene importancia. No lamento lo que ha pasado entre nosotros. No me arrepiento de haber puesto fin a nuestra relación.

—Ojalá pudiera creerte...

—Pues créeme, porque te estoy diciendo la verdad. No tomé esa decisión a la ligera, Ryan. Ya tenía grandes dudas sobre Joel antes de que yo empezara a trabajar para ti. Sé que te sientes responsable por lo que ha pasado entre nosotros, pero no es culpa tuya.

Ryan se acercó a la silla, la tomó de la mano y la levantó. Después, le acarició la mejilla y dijo:

—No sabes hasta qué punto me siento responsable. Has sido maravillosa conmigo y yo, a cambio, te he destrozado la vida. Me arrepiento de haberte besado. Me arrepiento de haber invitado a Joel esta noche. Pensé que, si estabais un rato juntos, si teníais ocasión de hablar, haríais las paces.

Ella respiró hondo.

—¿Es que no me has oído? Te lo repetiré más despacio, para que lo entiendas de una vez por todas. No echo de menos a Joel. No estoy enamorada de Joel. No quiero recuperar nuestra relación.

—¿Lo dices en serio?

—Completamente. Prefiero estar sola a estar con alguien a quien no amo.

—Pero...

Cassie lo interrumpió.

—Como te atrevas a disculparte otra vez, aceptaré tu ofrecimiento de pegarle un puñetazo a alguien. Pero te pediré que te lo pegues a ti mismo.

Él sonrió.

—De acuerdo, no insistiré... Pero Joel es un estúpido. No sabe que ha perdido un tesoro.

Las palabras de Ryan la halagaron tanto que, sin ser consciente de lo que hacía, se acercó a él y le dio un beso en los labios.

—Gracias, Ryan.

Ryan tragó saliva y apartó la mirada.

—Cassie, te prometí que no te volvería a besar. Pero cuando estamos así, juntos... —la voz se le quebró—. Déjame solo, por favor. Acuéstate. O márchate de la casa, si así te sientes más segura. No quería que te dieras cuenta de que yo...

Cassie lo miró con asombro.

—¿Me estás diciendo que me deseas?

—Claro que te deseo. Cualquiera te desearía.

Tras unos momentos de perplejidad, ella dijo:

—No me voy a ir, Ryan. No me voy a ir a ninguna parte.

—Uno de los dos tiene que ser fuerte, Cassie.

Ella dio un paso adelante y le puso las manos en los hombros. Él se puso tenso.

—Pues yo no me siento especialmente fuerte ahora. Creo que es por tu culpa.

Se miraron a los ojos. Cassie pensó que iba a retroceder o que la iba a apartar; pero, en lugar de eso, le pasó los brazos alrededor del cuerpo y la besó.

Capítulo 14

FUE el mejor beso de la vida de Cassie; un beso tan apasionado que casi no podía pensar ni respirar ni imaginarse a sí misma en más situación que aquella. Ryan le pasó la lengua por el labio inferior y, acto seguido, asaltó su boca. Sus manos la acariciaban por todas partes. Pasaron por sus brazos, pasaron por su espalda y se cerraron sobre sus caderas para apretarla después contra él. Estaba loca de deseo.

Al sentir el contacto de su erección, Cassie cerró los dedos sobre sus anchos hombros y acarició la silueta de sus músculos, que se tensaron. Era increíblemente fuerte. En respuesta a sus caricias, él le puso las manos en la cara, se apartó un momento de su boca y le mordisqueó el lóbulo de la oreja, arrancándole un gemido de placer. Fue una sensación tan deliciosa como nueva para ella.

—Oh, Ryan...

—Te deseo —dijo él con voz ronca—. Te deseo, Cassie. Te quiero en mi cama, desnuda, pegada a mí. Quiero tocarte y probarte. Quiero entrar en tu cuerpo y hacerte mía.

Cassie se estremeció. No pudo hacer nada salvo mirarlo a los ojos. Nunca había estado desnuda con un hombre. Nunca se había ofrecido a sus caricias. Nunca había hecho el amor.

—Yo también te deseo —susurró.

Él le volvió a acariciar la mejilla.

—¿Estás segura? Puedo parar, si quieres. Creo que me moriría si tuviera que parar, pero lo haré si ese es tu deseo... Necesito saber que estás segura.

Cassie supo lo que le estaba diciendo. Que quería hacer el amor con ella, pero que eso no iba a cambiar el carácter de su relación. No se había enamorado repentinamente. No le estaba prometiendo un futuro juntos. Solo sería una noche.

Esperó un par de segundos, prácticamente convencida de que su mente se rebelaría ante la idea; pero su mente no se rebeló. Amaba a Ryan, y sabía que era un buen hombre. A decir verdad, había hecho verdaderos esfuerzos por alejarse de ella. No tenía la culpa de que se hubiera enamorado de él.

—Lo estoy —respondió al fin.

Ryan la tomó de la mano, le besó los dedos y la llevó a su dormitorio. La habitación estaba a oscuras cuando llegaron.

—Quédate aquí.

Él cruzó la sala y encendió una lamparita. Cassie lo miró entonces y, a continuación, clavó la vista en la enorme cama donde iban a hacer el amor.

—¿Por qué me deseas? —preguntó, nerviosa—.

Seguro que no soy como las mujeres que has conocido.

—¿Qué sabes tú de las mujeres que he conocido?

—Que no se parecen nada a mí. Serán profesionales refinadas, mujeres de mundo que viajan mucho, entienden de vinos y visten con elegancia.

Él la volvió a tomar de la mano.

—Puede que me gustes precisamente por eso —le confesó—. Puede que te desee porque eres sincera, abierta, buena... porque no juegas a ningún juego conmigo. Porque ni siquiera conoces ese juego.

—¿Juego? ¿Qué juego?

Ryan sonrió.

—¿Lo ves? Es justo lo que decía —replicó—. Eres una gran persona, Cassie. Y también eres increíblemente sexy.

Ella sonrió.

—¿Lo crees de verdad?

—Desde luego que sí.

Cassie jamás había pensado que fuera sexy. No se consideraba especial en ese sentido. Pero, en ese momento, estando con Ryan en su habitación, se sintió la mujer más deseable y más viva del mundo.

Él la besó de nuevo y ella lo besó a su vez. Cuando las manos de Ryan se cerraron sobre el dobladillo del jersey y empezaron a tirar hacia arriba, Cassie no sintió ningún miedo, ninguna aprensión. De hecho, se limitó a separarse un poco para que pudiera pasar la prenda por encima de sus pechos.

Ryan llegó al sostén y la acarició por encima de la tela. El contacto de sus manos no se pareció nada a lo que había imaginado en sus fantasías. Era firme pero sutil y mucho mejor, en todos los sentidos, que una fantasía erótica. Le gustó tanto que las piernas se le doblaron como si fueran de mantequilla y se tuvo que aferrar a él para mantener el equilibrio.

—Ryan...

—No puedo creer lo mucho que me gustas. Te deseo tanto que creo que voy a estallar.

Él retrocedió y, con un movimiento rápido, le quitó el jersey por encima de la cabeza. Cassie sintió el aire fresco de la noche en su piel desnuda.

—Eres tan bella... —continuó, clavando la mirada en sus senos—. Pensé que serías perfecta. Y lo eres.

La llevó a la cama y la sentó. Después, se puso de cuclillas, le quitó los zapatos y los calcetines e hizo lo mismo con los suyos. Cuando ya había terminado, la tumbó y la besó de nuevo, sin dejar de acariciarla. Cassie estaba cada vez más excitada. Sus pezones se habían endurecido y un calor intenso se había empezado a formar entre sus piernas. Ardía en deseos de que la tocara allí, justo en ese lugar, pero no se atrevió a pedírselo.

En algún momento, él le desabrochó el sostén y se lo quitó. Cassie estaba tan concentrada en sus caricias que no fue consciente de ello hasta que Ryan le succionó un pezón. El placer fue tan intenso que le arrancó un gemido; tan intenso que se creyó desvanecer. Pero no quería que se detuviera. Quería que aquel instante fuera eterno.

—Oh, Ryan... por favor... —dijo, sin saber siquiera lo que le estaba pidiendo.

Ryan besó sus labios, acarició su estómago y le puso una mano sobre la cremallera de los vaqueros, que empezó a frotar. Cassie sintió una especie de descarga eléctrica y se incorporó un poco, sorprendida.

—¿Qué ha sido eso?

—La tierra prometida —susurró él.

Ryan le desabrochó los pantalones, se los quitó y, por fin, la liberó también de las braguitas. Ahora estaba completamente desnuda.

El nerviosismo de Cassie desapareció cuando Ryan volvió a prestar toda su atención a sus pechos. Besó y lamió sus curvas con tal delicadeza que Cassie se olvidó hasta de respirar. Mientras lo hacía, llevó una mano a su pubis y fue descendiendo poco a poco, sin prisa, despertando en ella un sentimiento de anticipación absolutamente embriagador.

—Mírame, Cassie.

Ella, que había cerrado los ojos, los abrió y lo miró.

—Quiero verte. Necesito saber que lo estoy haciendo bien.

Cassie pensó que todo lo que hiciera estaría bien, pero no fue capaz de expresarlo.

—Te deseo, Cassie. Pero necesito saber que tú también me deseas —declaró, mirándola con intensidad—. No te contengas. No te guardes nada. Quiero oír tus gemidos. Quiero sentir tu placer.

Cassie asintió y, entonces, él la empezó a acariciar entre las piernas.

Los últimos pensamientos de Cassie se desvanecieron bajo un mar de sensaciones. Sus caderas se movían como si tuvieran vida propia, acompañando los movimientos de Ryan. Cuando él se apartó, ella quiso protestar; pero no tuvo ocasión, porque Ryan subió un poco y concentró sus caricias en un punto muy concreto.

Cassie deseó gritar, pero se limitó a ponerse tensa.

—¿Ahí? —dijo él.

—No lo sé... —respondió ella, casi jadeando.

Él le dio un mordisco suave en el cuello.

—Yo sí lo sé. ¿Cómo te gusta?

Ryan retomó sus caricias.

—Yo...

—¿Sí?

—Sigue así, por favor... —acertó a decir.

—Relájate, Cassie. Tenemos toda la noche. Quiero que lo disfrutes.

Cassie apretó los dientes y se dejó hacer, alzando las caderas en una súplica silenciosa. Ryan la siguió acariciando con delicadeza. De vez en cuando, introducía un dedo en su interior. Poco a poco, alimentaba una espiral de placer que amenazaba con estallar.

—Déjate llevar, Cassie. Ya estás cerca.

Ella no supo de qué estaba cerca, pero guardó silencio. No podía hablar.

—Por favor, Ryan...

Él aumentó el ritmo y la intensidad.

—Mírame, Cassie —repitió.

Cassie obedeció y lo miró a los ojos. Pasaron dos segundos, tres segundos y, durante unos momentos, se hizo el olvido. Más tarde, ella solo recordaría haber gritado su nombre; haber sentido oleada tras oleada de placer, haber notado sus labios cuando la besó en la boca y haberse sentido completamente satisfecha.

Cuando los latidos de su corazón volvieron a la normalidad, lo miró y dijo:

—Vaya...

Ryan sonrió.

—¿Te ha gustado? No sabes cuánto me alegro.

Cassie soltó un suspiro.

—Te deseo —continuó él.

—Y yo te deseo a ti.

Ryan la besó con una pasión que la dejó sin aliento. Después, se empezó a quitar la ropa con ayuda de Cassie, que se prestó a ello encantada. Ya desnudo, abrió el cajón de la mesita de noche y sacó algo. Ella se dedicó a admirar su pecho desnudo, fascinada con su belleza, pero se quedó aún más fascinada cuando bajó la vista.

—Es muy grande...

Ryan sonrió.

—Muchas gracias —dijo—. Me alegra que te guste.

Él se puso el preservativo que acababa de sacar y la besó. Mientras sus lenguas se encontraban, le acarició los pechos y aumentó de nuevo su tensión. Cassie no lo podía creer. ¿La estaba llevando a otro orgasmo? ¿Iba a sentir otra vez aquella explosión maravillosa? Al menos, ahora sabía lo que podía esperar.

Segundos después, sintió una presión entre las piernas. Algo duro intentaba entrar en su cuerpo, muy despacio. Cassie hizo un esfuerzo por relajarse y permitió que la penetrara poco a poco, llenándola. No era exactamente doloroso, pero resultaba algo molesto; así que se concentró en el peso de su cuerpo, que la hacía sentir inmensamente segura y querida.

—Eres preciosa —dijo él.

De repente, Ryan se detuvo y la miró con sorpresa. Había llegado el momento que Cassie temía. Había notado que era virgen.

—Algo está mal, Cassie...

—No, nada está mal —le aseguró—. Sigue. Quiero sentirte dentro de mí. Sigue hasta el fondo.

Ella notó su preocupación, así que le dio un beso apasionado.

—Está bien —dijo él con un gemido—. No me puedo resistir...

—Por supuesto que no. No te puedes resistir porque no quieres.

—Eso es verdad. Solo quiero estar dentro de ti.

Cassie sonrió.

—Pues tenemos suerte, porque estamos aquí para eso.

Ryan la penetró hasta el fondo y, a continuación, se detuvo. Cassie tuvo miedo de que no siguiera adelante. Sabía que no lo habría soportado. Quería hacer el amor con él; quería experimentar lo mismo que había vivido minutos antes, pero con él dentro.

Instintivamente, alzó las caderas y las volvió a bajar. Repitió el movimiento varias veces, hasta que Ryan gimió y se empezó a mover de nuevo.

—Te deseo —declaró él en voz baja—. Te deseo y quiero hacer el amor contigo, aunque sé que no debería.

Ella le acarició la cara.

—Pues hazme el amor. Enséñame lo que se siente.

—¿Me estás desafiando? —preguntó con una sonrisa.

—Desde luego.

La sonrisa de Ryan desapareció. Sus movimientos se volvieron más y más rápidos. La tensión de Cassie aumentó inexorablemente, sin que pudiera hacer nada por evitarlo, hasta que sintió las primeras oleadas de placer. Pero esta vez era distinto; esta vez eran más intensas, más arrebatadoras.

—¡Cassie! —gritó él.

Ryan pronunció su nombre de tal modo que la empujó al orgasmo de inmediato. Su cuerpo se puso a temblar y, acto seguido, también empezó a temblar el cuerpo de su amante.

Fue un momento perfecto. El más perfecto de la vida de Cassie Wright.

Ryan la abrazaba con fuerza, incapaz de creer lo que habían hecho. Por una parte, se sentía el hombre más feliz del mundo; por otra, el más canalla. Primero, había conseguido que rompiera su relación con Joel y, después, le había robado la virginidad. El hecho de que acabara de tener la experiencia sexual más satisfactoria de su vida no aliviaba en modo alguno su sentimiento de culpabilidad.

—Me deberían pegar un tiro. No merezco otra cosa.

Ella lo miró.

—¿Lo dices porque no te ha gustado?

Ryan sacudió la cabeza y la miró con ternura.

—No, no lo digo por eso. Ha sido verdaderamente maravilloso...

—Tendría que haberte dicho que era virgen.

—Sí, me lo tendrías que haber dicho.

Cassie sonrió.

—Bueno, no me ha parecido el momento más adecuado para empezar a hablar. Además, tenía miedo de que no siguieras.

Ryan frunció el ceño.

—No lo entiendo. Estuviste nueve años con Joel. No puedo creer que no...

—¿Que no hiciéramos el amor? Pues no, no lo hicimos. De hecho, no hacíamos nada; ni siquiera nos acariciábamos. Fui sincera cuando dije que no había pasión entre nosotros. Es una de las razones por las que me separé de él... Pero no te preocupes por mí. Aunque fuera virgen, no soy una adolescente ingenua.

—No, solo eres una niñera inocente de veinticuatro años. ¿En qué demonios estaría pensando? —se quejó.

—Casi tengo veinticinco...

Él sacudió la cabeza y ella le acarició la mejilla.

—Soy perfectamente consciente de lo que hemos hecho, Ryan. Puede que no tenga experiencia, pero ha sido increíble. Y te aseguro que no te pienso extorsionar... No te voy a exigir que lo dejes todo y mantengas una relación conmigo. Seguiré trabajando para ti y seguiremos siendo amigos.

Ryan la miró a los ojos.

—Cassie, yo...

Ella le dio un beso en los labios.

—Olvídalo. No quiero seguir hablando.

Cassie se levantó, recogió su ropa y alcanzó la bata de Ryan, que se puso.

—Te la devolveré por la mañana —dijo—. Buenas noches.

Un momento después, salió del dormitorio.

Ryan se quedó mirando la puerta, ya cerrada. Cassie le había dicho que todo estaba bien. Pero él no estaba tan seguro.

Capítulo 15

MIENTRAS Cassie daba el desayuno a Sasha, se mantenía atenta a los sonidos de la mansión. Estaba segura de que Ryan bajaría en algún momento, dispuesto a retomar la conversación de la noche anterior.

Ya había pensado lo que le iba a decir. Insistiría en que la experiencia había sido maravillosa y en que no estaba buscando una relación seria. Lo primero sería fácil; a fin de cuentas, era verdad. Pero lo segundo sería más difícil. Se había enamorado de él y, por muchas veces que repitiera lo contrario, quería una relación con él.

Poco después, oyó pasos en la escalera.

—¿Te puedes quedar sola unos minutos? —preguntó a Sasha—. Tengo que hablar con tu tío, pero volveré enseguida.

La niña asintió y siguió comiendo tranquilamente.

Cassie salió de la cocina e interceptó a Ryan en el vestíbulo. Desde allí, podía vigilar a la pequeña y hablar con él sin que Sasha oyera la conversación.

—Buenos días —dijo Ryan—. Tengo que hablar contigo.

—Y yo contigo; aunque, francamente, preferiría dejar las cosas serias para después de tomar mi segunda taza de café —ironizó.

Él se metió las manos en los bolsillos.

—Es importante, Cassie.

—Lo sé. Y sé lo que vas a decir.

—¿Lo sabes?

—Bueno, no estoy completamente segura, pero me hago una idea. Estás preocupado por lo de anoche. Temes que me haya arrepentido o que haya desarrollado algún tipo de dependencia emocional, y quieres saber lo que pienso. ¿Me equivoco?

Él sacudió la cabeza.

—No, no te equivocas.

—Entonces, permíteme que alivie tu preocupación. En primer lugar, soy una mujer adulta; me acosté contigo con plena conciencia de lo que hacía, y no me arrepiento en absoluto. Sí, es cierto que perdí la virginidad, pero no me importa. No cambiaría ni un momento de lo que pasó... Salvo tu reacción posterior.

Él cambió de posición, incómodo.

—Lo siento. No es que no lo disfrutara, es que...

—Te sentías culpable —dijo—. Lo comprendo. Si yo estuviera en tu caso, es posible que sintiera lo mismo. Pero está fuera de lugar. Me acosté contigo porque quise. Asumo la responsabilidad de mis actos y, desde luego, me alegro de haber hecho el amor contigo.

—Me quitas un peso de encima...

—En cuanto a lo demás, no estoy esperando una propuesta de matrimonio. Ni siquiera espero que me invites a salir. Pero admito que las cosas han cambiado.

—¿Qué quieres decir con eso?

Cassie se giró hacia la cocina, para ver si Sasha se encontraba bien.

—Mi vida ha cambiado mucho en los últimos meses. Empecé a trabajar para ti, he roto con Joel y me he acostado con un hombre por primera vez. Han sido decisiones mías que, en esencia, solo me afectaban a mí. Pero, ahora, me veo obligada a tomar una decisión que afecta de un modo directo... Solo me puedo quedar un mes más.

Él se quedó sorprendido.

—¿Me vas a dejar?

—Tengo que hacerlo. Un mes es tiempo suficiente para que lo arregles todo. Si te vas a quedar en Bradley, te ayudaré a buscar una niñera. Si prefieres volver a San José, tendrás ocasión de buscar ayuda por tu cuenta —Cassie respiró hondo—. Sin embargo, espero que sigamos siendo amigos. Disfruto mucho de tu compañía, y creo que tú también disfrutas de la mía.

—Naturalmente. Lo sabes de sobra.

—En cuanto a nuestra relación sexual...

—¿Sí?

—Me gustaría ser tu amante. Tendremos que ser discretos, claro; no quiero que Sasha se haga ilusiones con nosotros ni que se extienda la voz y se entere todo el mundo. Pero la decisión es tuya.

—Lo tienes todo muy bien pensado... —declaró, atónito.

—Así es.

—¿Y qué ganas tú con todo esto?

—¿Te refieres a trabajar para ti? ¿O a ser tu amante?

—A ser mi amante.

—Qué cosas preguntas... —dijo con humor—. Gano lo mismo que tú. Exactamente lo mismo.

Esta vez fue él quien respiró hondo.

—Me encanta tu sinceridad —le confesó—. Es una de las virtudes que más admiro de ti, aunque me da miedo.

—¿Miedo? No lo entiendo.

—Lo sé, pero eso es parte de tu encanto —Ryan se acercó y le pasó un mechón por detrás de la oreja—. Puedes trabajar para mí durante el tiempo que quieras y en las condiciones que quieras. Te has sacrificado mucho por Sasha, y no sabes cuánto te lo agradezco. Por lo demás, sobra decir que ser tu amante será un placer y un honor. Pero quiero que te lo pienses, que estés segura. Quiero que, cuando te vayas, tengas un buen recuerdo de mí.

—Está bien. Me lo pensaré.

Cassie no se lo tenía que pensar. No albergaba ninguna duda al respecto. Sin embargo, pensó que se podían conceder un par de días antes de meterse en la cama otra vez y arrancarse la ropa.

Luego, cuando se cumpliera el plazo de un mes, se marcharía. Ryan era lo que más deseaba en el mundo; pero, si no lo podía tener a él, tendría al menos su segundo deseo más importante: una vida propia.

Ryan sirvió una copa a Arizona. Chloe estaba con su hermana en la cocina y Sasha ya se había acostado. Era la segunda vez que miembros de la familia de

Cassie se quedaban a cenar en la casa. Y Ryan había descubierto que le encantaba ejercer de anfitrión.

Arizona echó un trago de whisky, se sentó en el sofá y lo miró con interés.

—Parece que lo tuyo va en serio —dijo.

—¿Lo mío? ¿A qué te refieres?

Ryan se sentó en un sillón.

—No te hagas el loco. A mí me pasó lo mismo con Chloe. Lo veo en tu cara.

—Si te refieres a Cassie, te equivocas. Entre nosotros no hay nada. Solo trabajamos juntos.

—Sí, claro, y Chloe solo me quería hacer una entrevista... Mira, he llevado una vida de aventuras, viajando de un lado a otro y sin sentir el menor deseo de establecerme en ningún sitio. Pero luego conocí a Chloe y todo cambió. Al principio, no me di cuenta; solo sabía que me sentía muy bien cuando estaba a su lado. Y un día, comprendí que no podía vivir sin ella.

Justo entonces, oyeron pasos. Chloe apareció con una bandeja de aperitivos, que dejó en la mesita.

—Esto es para que piquéis algo antes de cenar.

Chloe dedicó una sonrisa pícara a su marido y se fue.

—Se nota que te quiere mucho —comentó Ryan.

—Tanto como yo a ella. Jamás pensé que pudiera querer tanto a nadie. De hecho, me costó asumir que Chloe era todo lo que necesitaba. A veces, tenemos la verdad delante de los ojos y nos negamos a verla.

—Yo no estoy enamorado de Cassie —declaró, tajante.

Arizona sonrió.

—Si tú lo dices...

Ryan sacudió la cabeza. El marido de Chloe era demasiado inteligente como para dejarse engañar.

—No sé, Arizona. Solo sé que necesito tiempo para aclararme las ideas.

—Pues tómate el tiempo que necesites —le recomendó—. Al fin y al cabo, Cassie no se va a ir a ninguna parte.

Ryan prefirió no decirle que Cassie había tomado la decisión de marcharse. Tres semanas más y saldría de su vida para siempre. Era una mujer obstinada. Si había dicho que se iba a ir, se iría. Salvo que encontrara la forma de impedirlo.

Chloe cerró la puerta de la cocina.

—Les he llevado unos aperitivos —dijo a su hermana—. Estarán ocupados un rato, así que ya me puedes contar lo que ha pasado.

Cassie comprobó el asado del horno y se apoyó en la encimera.

—Ya lo sabes. Rompí con Joel.

Chloe se cruzó de brazos.

—Sí, pero no sabía que había empezado a salir con otra mujer. Es inadmisible. Va con ella a todas partes y no hacen el menor intento por disimular lo que sienten.

—¿Y qué tiene de malo? Si no recuerdo mal, a ti te pasaba lo mismo con Arizona.

—Pero esto es diferente. Joel ha sido tu novio durante nueve años, y ahora se dedica a hacer ostentación de su nueva mujer.

Cassie se acercó a su hermana y le puso una mano en el hombro.

—Agradezco tu preocupación, pero es innecesaria. No me importa lo que haga Joel. De hecho, me alegra que se haya enamorado.

—¿Cómo es posible que no te importe?

—No lo sé, pero no me importa —contestó—. A veces me digo que me debería molestar, pero no me molesta en absoluto. Soy sincera al decir que me alegra que sea feliz con Alice. Les deseo lo mejor.

Cassie volvió a mirar a su hermana y dijo:

—Tenías razón cuando afirmabas que Joel no era el hombre adecuado para mí. Estaba con él porque me sentía cómoda y porque me ofrecía la posibilidad de formar parte de algo, de pertenecer a algo.

Chloe la acarició.

—Pero tú perteneces a algo. Eres de mi familia, Cassie. Que seas adoptada no significa que seas una extraña.

—Lo sé, pero no es lo mismo, Chloe. Sé que la tía Charity y tú me queréis mucho, pero necesitaba algo propio, algo exclusivamente mío. Cometí un error al seguir con Joel sin estar enamorada, pero no lo volveré a repetir.

—Me parece perfecto, pero... ¿por qué estás triste?

Cassie respiró hondo.

—Porque me he enamorado de Ryan.

Chloe sonrió.

—Bueno, eso no es ninguna sorpresa. Es un gran hombre, y Charity afirma que quiere mucho a su hija, lo cual significa que también es un gran padre.

—Sí, lo sé.

—Entonces, ¿cuál es el problema?

—Que no está enamorado de mí. De hecho, creo que no se ha enamorado nunca de nadie. Creo que tiene miedo de enamorarse.

—¿Me estás diciendo que no ha pasado nada entre vosotros?

—Bueno, no exactamente... Somos amantes.

—¿Amantes?

Cassie le explicó lo sucedido y añadió:

—Me marcharé a final de mes. No tengo más remedio. Me encanta estar con Ryan, pero no puedo seguir eternamente en esta situación. Sería demasiado difícil para mí.

—¿Crees que dejará que te vayas?

La pregunta de Chloe la sorprendió.

—Por supuesto. ¿Por qué lo iba a impedir?

—Porque tiene todos los síntomas de un hombre enamorado.

—Te equivocas, Chloe. Ryan solo se enamoraría de una mujer como tú... Una mujer refinada, inteligente y muy divertida.

—Gracias por el halago —replicó con humor—. Pero Ryan no está enamorado de mí. Está enamorado de ti.

—Oh, vamos...

—Es verdad, Cassie —insistió.

—Aunque lo fuera, no me puedo hacer ilusiones al respecto. Está demasiado asustado. Permitirá que me marche y no hará nada por evitarlo.

—Ten un poco de fe, Cassie. Siempre has tenido buena suerte.

Cassie sonrió.

—Sí, eso es verdad. Y, en el peor de los casos, siempre me quedará el camisón... Falta muy poco para mi cumpleaños. Quizá sueñe con un hombre maravilloso.

Cassie le dio la espalda para comprobar otra vez el asado. Chloe cambió de tema de conversación, aunque ella seguía pensando en Ryan. En poco tiempo, sabría si la leyenda de la familia se cumplía en su caso. De momento, solo sabía otra cosa: que el hombre con quien quería soñar se llamaba Ryan Lawford.

Capítulo 16

AL final de la velada, acompañaron a sus invitados a la puerta y se despidieron de ellos. Cassie se giró hacia Ryan con una gran sonrisa.

—Ha sido muy divertido. Gracias por sugerir que los invitara a cenar.

Sin pensarlo, él le puso los brazos alrededor del cuerpo.

—No hay de qué. Yo también me he divertido.

Ryan le dio un beso en la frente y la llevó hacia las escaleras.

—Estoy disfrutando mucho del embarazo de Chloe —confesó Cassie mientras subían—. Es la primera vez para las dos. Me gusta que me cuente todos los detalles... Es como estar embarazada, pero sin las complicaciones de estarlo.

—¿Te estás preparando para cuando te llegue el día?

—Es posible.

Cassie siguió hasta el dormitorio de Cassie, para asegurarse de que seguía dormida. Ryan la siguió; si hubiera sido otra mujer, habría pensado que el comentario sobre el embarazo de Chloe era una indirecta. Pero la conocía bien y sabía que era incapaz de someter a nadie a ese tipo de juegos. Era una de las muchas cosas que le gustaban de ella.

Cassie salió del dormitorio de Sasha y dijo:

—Está bien. Durmiendo como un angelito. ¿Y tú? ¿Cómo te encuentras? ¿Estás cansado? ¿O te apetece un poco de compañía?

Él le acarició la cara y la miró con intensidad.

—Tienes una expresión extraña —continuó ella—. ¿He dicho algo inadecuado?

—No, en absoluto. Estaba pensando que eres perfecta.

Ella arrugó la nariz.

—No es verdad, pero gracias por el cumplido. Por cierto... esta mañana, estaba leyendo una revista de mujeres y descubrí algo interesante. He pensado que lo podíamos probar.

—¿De qué se trata?

Cassie sonrió con picardía.

—Ya lo verás.

Dos horas más tarde, Cassie estaba tumbada entre sus brazos y él, completamente saciado. No podía dejar de pensar en ella. Mientras le acariciaba el pelo, se preguntó qué iba a ser de ellos. No quería que Cassie se marchara, pero no sabía si tenía derecho a pedirle que se quedara con él. Ni siquiera sabía si sería capaz de pedírselo.

Solo sabía una cosa: que se había enamorado.

Por desgracia, temía que su amor no fuera suficiente para ella. Siempre había tenido más talento con los negocios que con la gente. Desconfiaba de su habilidad para ser un buen padre y un buen marido. Creía que Cassie merecía algo mejor.

Estuvo dando vueltas y más vueltas a sus preocupaciones hasta que, poco antes del alba, se quedó dormido. Entonces, sus sueños se llenaron de visiones de un futuro que no sabía si podría tener.

—¡Alcánzame! ¡Alcánzame! —gritó Sasha en el jardín.

Ryan corrió tras ella, fingiendo que estaba a punto de alcanzarla y que no lo conseguía. Llevaban una hora de juegos, y la niña no mostraba síntoma alguno de estar cansada. En cambio, él estaba agotado. Llevaba casi dos días sin dormir. No hacía otra cosa que pensar en su relación con Cassie y en la forma de decirle que se había enamorado de ella. Sin embargo, aún no había encontrado las palabras adecuadas.

Sasha se puso detrás del columpio. Ryan la siguió, pero la niña se giró hacia su derecha y, al intentar alcanzarla, él tropezó con una pelota y cayó al césped.

—Buen truco —dijo él, frunciendo el ceño—. Muy buen truco.

La niña corrió hacia su tío y se le puso encima.

—¡Un beso! ¡Quiero un beso!

—Gracias por preocuparte por mi salud —ironizó Ryan—. Me encuentro bien, gracias.

Sasha asintió y se limitó a decir:

—*¡Yo cansada!*

—Ah, ¿te quieres echar una siesta?

La niña soltó una risita.

—Yo quiero a tío Ryan.

A él se encogió el corazón.

—Y yo te quiero a ti, preciosa. Te querré siempre, y siempre estaré contigo.

Mientras hablaba, Ryan se dio cuenta de que su problema con Cassie era tan fácil como eso, tan fácil como declarar su afecto a Sasha, sin más. Pero ¿sería suficiente para ella? No tenía más remedio que intentarlo, así que tomó la decisión de decírselo esa misma noche, cuando estuvieran en la cama.

—¿Ryan? ¿Estás ahí?

Cassie y Charity aparecieron en el jardín de la casa. Ryan se quitó a la niña de encima y se levantó.

—Hola, Ryan —dijo Charity—. Solo estoy de paso... He venido para hablar con Cassie sobre la fiesta de su cumpleaños y para dejarle el camisón.

—La niña está encantada con lo de la fiesta —dijo él.

—Seguro que se divierte mucho. He contratado a una niñera para que cuide de Sasha. Así os podréis relajar un poco —declaró la tía de Cassie—. En fin, nos vemos el jueves, a las siete.

—Allí estaremos.

Charity se marchó y ellos se dirigieron a la cocina. Cuando entraron, Ryan vio que había una caja grande en la encimera.

—Es el camisón mágico —dijo Cassie—. ¿Quieres que te lo enseñe?

—Por supuesto.

Ryan casi se había olvidado de la leyenda del camisón. Estaba seguro de que no era realmente mágico, pero eso carecía de importancia. Cassie llevaba toda la vida esperando el día de su vigésimo quinto cumpleaños; tal vez, porque creía que iba a soñar con un príncipe azul o, tal vez, porque se lo había tomado como una prueba de su pertenencia a la familia Bradley.

En cualquier caso, era su fantasía y él no tenía derecho a interferir. Quizás sería mejor que retrasara su declaración de amor hasta después del cumpleaños. Aunque era consciente del riesgo que corría: que Cassie soñara con otro hombre.

A mediados de la semana, Cassie ya se había convencido de que no se lo había imaginado. Ryan se comportaba de forma extraña. Empezaba una conversación y se marchaba de repente, o la miraba con intensidad cuando creía que ella no se daba cuenta.

Era obvio que estaba preocupado por algo, y a Cassie no se le ocurrió otra cosa que la posibilidad de que quisiera poner punto final a su relación. En su inseguridad, supuso que le daba miedo que se enamorara de él y que, en consecuencia, había decidido cortar por lo sano. No era una perspectiva precisamente halagüeña, pero siempre había sido una mujer valiente; así que se armó de valor y entró en su despacho.

—Ryan, tenemos que hablar —declaró—. ¿Va todo bien?

—Claro.

—No mientas. Hace días que no eres el mismo. Sé que te pasa algo, y creo saber qué es.

Él sonrió.

—Lo dudo.

—Estás preocupado por mí. Te preocupa que me empieces a gustar demasiado, pero no quiero que pienses en eso. Soy una mujer madura. Soy perfectamente capaz de asumir mis propias emociones.

—Entonces, ¿estás insinuando que te empiezo a gustar demasiado? —dijo con humor.

—No estoy insinuando nada.

Él se levantó y se detuvo ante ella. Había decidido que esperaría hasta después de su cumpleaños, que era al día siguiente; pero estaba cansado de esperar.

—Pues solo hay dos posibilidades —dijo—. O te gusto o no te gusto. Pero, si eso te va a facilitar las cosas, estoy dispuesto a decirte lo que siento por ti.

—¿Cómo? —preguntó Cassie, desconcertada.

—Me gustas mucho. De hecho, me gustabas mucho antes de que empezáramos a hacer el amor. Un día, me di cuenta de que me estaba enamorando de ti. Tardé en reconocerlo porque nunca había estado enamorado, pero lo estoy.

Cassie se quedó sin habla. ¿Ryan se le estaba declarando?

—Sé que mereces mucho más de lo que yo te puedo ofrecer, pero soy tan egoísta que no puedo permitir que te vayas. Te amo, Cassie. Me quiero casar conmigo. Quiero que criemos juntos a Sasha y que tengamos un montón de hijos. Quiero hacerte el amor todas las noches, y despertarme todas las mañanas a tu lado. Pero, sobre todo, quiero que todos tus sueños se hagan realidad.

Los ojos de Cassie se llenaron de lágrimas.

—Ya has conseguido que todos mis sueños se hagan realidad —acertó a decir.

—Entonces, ¿por qué lloras?

—Porque soy feliz, por eso. Pero ¿es real? ¿O lo estoy soñando?

—Es absolutamente real. Quiero que te cases conmigo, pero no es necesario que me des una respuesta esta noche. Sé que la leyenda del camisón significa mucho para ti, así que estoy dispuesto a esperar hasta la mañana siguiente.

—Pero ¿qué pasará si...?

—¿Si no sueñas conmigo? No pasará nada, Cassie, porque sé que estoy destinado a estar contigo. Te daré tanto amor que no te podrás imaginar con ninguna otra persona. Conquistaré tu afecto y, cuando lo tenga, ya no podrás escapar.

—Quiero casarme contigo, Ryan.

Él sonrió.

—Repítemelo dentro de cuarenta y ocho horas, y hablaremos.

Cassie se puso el camisón con dedos temblorosos. Luego, se metió en la cama y se tapó con la manta hasta el cuello. Ryan se sentó a su lado.

—No tengas miedo. Todo saldrá bien.

—Lo sé, pero es tan extraño... Siempre he querido que el camisón fuera mágico y ahora quiero que no lo sea.

—Vas a soñar conmigo. Lo sé. Y si no sueñas, no importa. Te amo de todas formas.

—Y yo te amo a ti —le aseguró.

Hablaron durante unos minutos. Después, él se levantó de la cama y la dejó a solas. Cassie cerró los ojos y esperó que el sueño la dominara, pero estaba tan nerviosa que los volvió a abrir. Al cabo de un rato, cansada de dar vueltas y más vueltas en la cama, se puso a pensar en su fiesta de cumpleaños y en lo

divertida que iba a ser. Poco a poco, se quedó dormida. Pero, hasta en sueños, su mente estaba tan obse-
sionada con ver a Ryan que lo llamaba a gritos. De
repente, se vio a sí misma en el porche de la mansión
de los Bradley, mirando hacia el jardín. Al fondo, un
hombre avanzaba entre las sombras. Cassie no lo pudo
reconocer al principio, y se llevó tal susto cuando lo
vio que se despertó de inmediato. Era el viejo señor
Withers.

¿Sería posible que el camisón le estuviera tomando
el pelo?

—Basta ya —se dijo en voz alta—. Esto no tiene
ningún sentido. Ya conozco al hombre que quiero. Estoy enamorada de Ryan.

Sin embargo, Cassie se llevó una decepción terrible. El camisón no había funcionado en su caso. El camisón solo funcionaba con las Bradley, lo cual significaba que ella no era una Bradley.

Momentos después, la puerta se abrió.

—¿Buenas noticias?

Era Ryan. Llevaba el pelo revuelto, como si se acabara de levantar de la cama, y estaba completamente
desnudo.

Cassie lo miró a los ojos e hizo lo único que podía
hacer. Mentir.

—Las mejores.

—¿Lo ves? Sabía que soñarías conmigo. Pero ahora no tendrás más opción que aceptar mi oferta de matrimonio...

—Me encantaría casarme contigo, Ryan.

—Magnífico.

Aquella noche hicieron el amor varias veces. Lo
hicieron como si hubieran nacido para ser amantes. Y

cuando ya estaban agotados, Ryan la ayudó a ponerse el camisón otra vez y se quedaron dormidos, juntos.

El sueño de Cassie volvió. Estaba como antes, en el porche de la mansión de los Bradley, mirando al hombre que se acercaba, el viejo señor Withers.

—No, no me mires a mí, niña —protestó el anciano—. ¡Míralo a él!

Cassie no se había dado cuenta de que había otro hombre en el jardín.

—¡Ryan!

Cassie sonrió y corrió hacia el hombre de su vida, que se fundió con ella en un abrazo.

Aún en el sueño, Cassie pensó que hablaría con él a la mañana siguiente y le contaría lo sucedido. Era tan maravilloso que estaba segura de que, cuando lo supiera, la querría más.

Epílogo

CASSIE contuvo la respiración hasta que Sasha terminó de recorrer el pasillo central. Estaba preciosa con su vestido blanco, esparciendo pétalos por el camino. Caminaba como una niña de su edad, balanceándose de lado a lado, pero eso carecía de importancia.

De fondo, empezó a sonar la *Marcha nupcial*.

—Por si no fuera suficiente con estar embarazada, ahora voy a empezar a llorar y se me va a correr el rímel —dijo Chloe, su madrina, con una sonrisa—. Menos mal que todo el mundo te está mirando a ti...

—Estás maravillosa. Absolutamente radiante —afirmó su hermana.

—Y tú. Me alegra que te vayas a casar con Ryan.

—Más me alegro yo... Pero sigue andando, o no me casaré nunca.

Hasta entonces, todo estaba saliendo a pedir de boca.